JN012239

トロイア戦争

歴史・文学・考古学

エリック・H・クライン

西村賀子 訳

THE TROJAN WAR
A Very Short Introduction

Eric H. Cline

白水社

トロイア戦争——歴史・文学・考古学

七歳の私に
トロイア戦争の不思議な魅力を教えてくれた
母の思い出に。

トロイア戦争——歴史・文学・考古学　目次

マルマラ海
アッシュワ
トロイア
イダ山
レムノス島
レスボス島
エーゲ海
アルザワ
黒海
ハットゥシャ
ギリシア
アナトリア
アテナイ
ロドス島
クレタ島
キュプロス島
地中海
0 100 200 マイル
0 100 200 キロメートル
エジプト
ミレトス
リュキア
キュクラデス諸島
ハリカルナッソス
クニドス
ドデカネス諸島
サントリーニ島
ロドス島
クノッソス
クレタ島

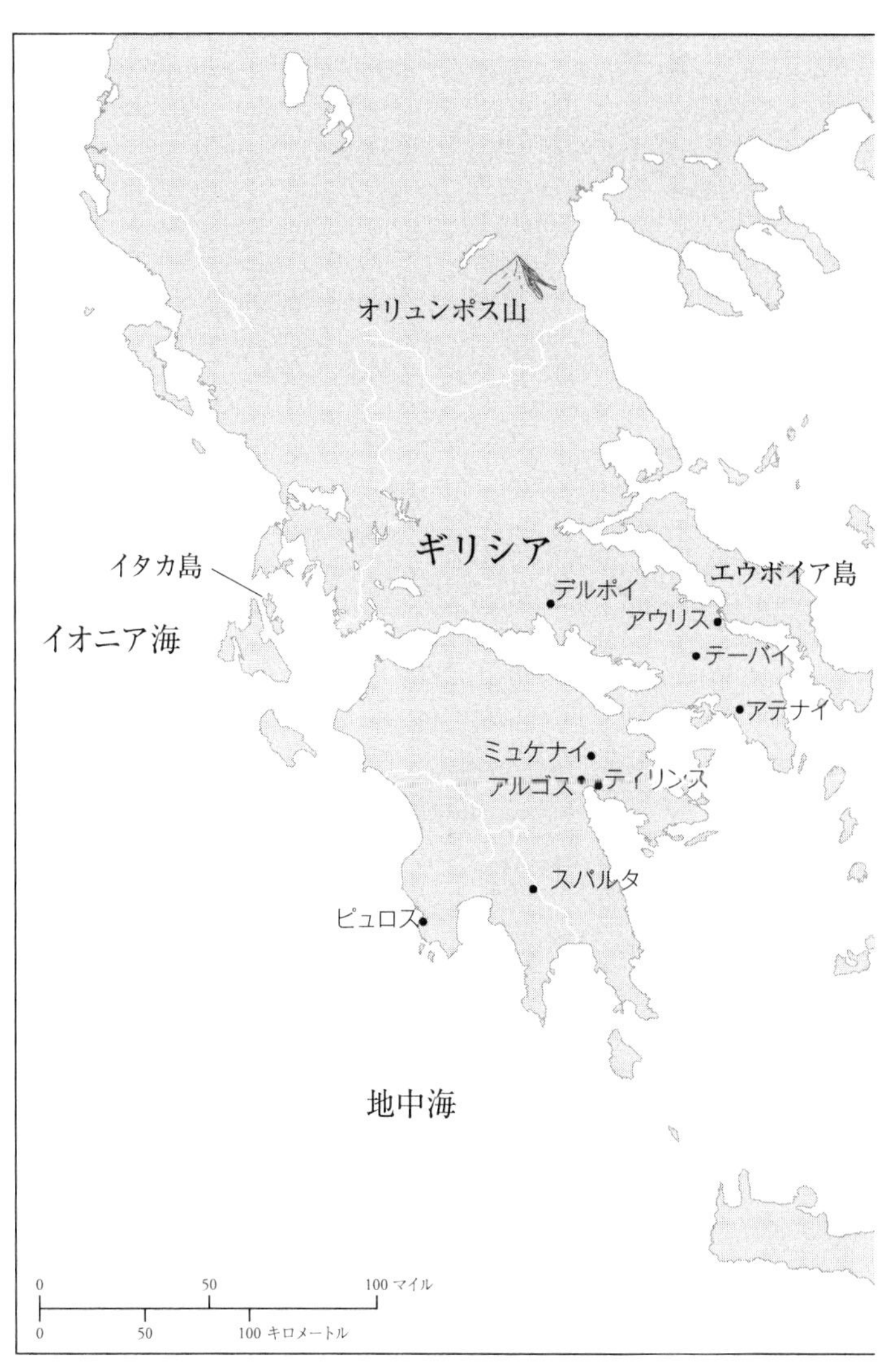

1　後期青銅器時代のエーゲ海と西アナトリア、紀元前 1250 年頃。ギリシア本土とクレタ島、キュクラデス諸島、トルコの西海岸（アナトリア）を含む。

序論

はるか昔のある時に、トロイア戦争の伝説を生み出した紛争があったのだろうか？　この戦争では、今日英語でトロイと呼ばれる遺跡のあたりで戦闘が行なわれたのだろうか？　古代ギリシア人とローマ人はたしかにそんな戦争がかつて起こったと思い、北西アナトリア（現在のトルコ）のその戦跡も知っていると思っていた。後年、彼らはその同じ場所にそれぞれ自分たち自身の都市を建てた。つまりギリシア人はギリシア風のイリオンを、ローマ人はローマ風のイリウムを建てたのだ。アレクサンドロス大王は、アリストテレスが注釈を付した『イリアス』の本を枕の下に置いて眠り、トロイアがあったとおぼしき場所を紀元前三三四年のアジア遠征の間に訪れたと言われている。

ギリシア人とローマ人は、トロイア戦争は現実のできごとであると信じるとともに、世界史の要（かなめ）だったとも考えていた。たとえばヘロドトスとトゥキュディデスは、紀元前五世紀に著した各々の書物で、トロイア戦争について最初の数ページで短く論じた。しかしこの二人より後の学者や著述家で、この戦争がいつ実際に起こったかがはっきりとわかっている者はいなかった。戦争の推定年代には、ヘロドトスのそれも含めて紀元前一三三四年から同一一三五年までの幅があったが、こうした推定はたいていの場合、実質的な根拠に基づいていない。「アレクサンドロス大王の訪問の一千年前」とか「ヘロドトスの時代の八百年前」というふうに年代が示されるのである。やがて、紀元前三世紀のギリシアの地理学者エラトステネスが推定した、紀元前一一八四年という年（「第一回オリュンピア競技会の四〇七年前」）が最も好まれるようになった。とはいえ、この年代もほとんどただの当てずっぽうなのだが。

中世から近世にいたる古典学者たちは古代人よりも懐疑的で、しばしばトロイア戦争を重要視しないか、あるいは作り話として片づけさえした。いわゆる「ミュケナイ考古学の父」たるハインリヒ・シュリーマン（図2参照）が、一八七〇年代にトロイアの地を再度つきとめたと主張したとき初めて、トロイア戦争の話は歴史的事実に基づいていたという可能性が本格的に注目された。だが世の関心が集中したのは、ヒサルルック（トルコ語の Hisarlık は「要塞の地」の意）の遺跡で新たに発掘された遺物だった。それ以来、学者の議論は衰えていない。学術的な論争はいくつかの分野、たとえばホメロス、青銅器時代のギリシア・トロイア、トロイア戦争自体の存在を示す文字証拠や考古学的データ——およびこれらのものに関する具体的な細目——などに集中している。

2　実業界で成功を得て引退した後、裕福なハインリヒ・シュリーマンはトロイアの発見と発掘に余生を捧げた。

紀元前八世紀にホメロスが語り、続く何世紀にもわたって他のギリシア詩人や劇詩人たちも語ったように、戦争をめぐるこの物語には、遠い昔から人の心に響くテーマが含まれている。基本的な物語は愛と戦争・敵対と貪欲・英雄と臆病者の永遠の叙事詩であり、語り口は平易だ。話は、数人のおもな登場人物と大勢の脇役を中心に繰り広げられる。時を移さず話の中心になる登場人物たちとしては一方に、ミュケナイ時代ギリシアのスパルタ王メネラオスの妻ヘレネ、メネラオスの兄でミュケナイの王アガメムノン、戦いでは並ぶ者のないテッサリア出身の戦士アキレウス、そしてイタカの王オデュッセウスがいる。他方、何と言ってもパリス（トロイア王プリアモスの息子）と当のプリアモス、そしてその長男ヘクトルがいる。

トロイア戦争の物語は何世紀にもわたって人々を魅了し、数多くの学術論文や著作、広範な考古学的発掘、壮大な映画、テレビのドキュメンタリー番組、舞台演劇、美術と彫刻、土産物、収集品を生み出してきた。合衆国にはトロイという名の市や町をもつ州が三三州、さらにこの名のついた四年制カレッジや大学が一〇校あるほか、南カリフォルニア大学のスポーツチームは「トロイ人（トロージャンズ）」と呼ばれる。とりわけ人の心をつかむのは、「トロイアの木馬」というトロイア戦争を終わらせた大胆な企みの話である。この話は「贈物を携えてくるギリシア人に注意せよ」ということわざを生み出すことで、現代の言いまわしにも入っている。そしてコンピュータ・システムの中に「トロイの木馬」を送り込んで大損害を与えることに熱中しているハッカーたちによっても、現代用語となっているのである。

しかし、人はホメロスの話をなるほどと思うだろうか？　たしかに、アキレウスからヘクトルにいたる英雄たちの描かれ方には納得がいくので、この話は信じやすい。だがこれは本当に、実際に起こった事件に基づく話なのか？　主要登場人物は現に実在した人たちだったのだろうか？　いかに美人とはいえ、たったひとりの女性をめぐって、古代世界のギリシアの国中の人間に相当する人々が本当に出征し、十年もの長きにわたって戦うだろうか？　アガメムノンは本当に、そんな遠征のためにそれほど多くの男を招集できる、王のなかの王だったのだろうか？　それにまた、たとえ本当のトロイア戦争というものがかつてあったと信じるにせよ、ホメロスの『イリアス』と『オデュッセイア』が語り、追加断片や「叙事詩の環」の説明が補足する、特定の事件や行動や記述は、歴史的に正確で、文字どおりの意味で受け取ってよいということになるのだろうか？　ホメロスの描写内容が実際に起こり、彼が言うとおりのありさまだったというのは妥当だろうか？

要するに、より大局的な見地には、次のようないくつかの重要問題の調査が関わってくる。すなわちトロイア戦争が実際に起こったことを示すどんな証拠があるか？　本当に起こったとすれば、いつどこで戦われたか？　その原因は何か、おもな提唱者は誰だったのか？　この話はどんな歴史的背景でとらえるべきか？　ミュケナイ人とトロイア人の伝説的な行為や行動についての物語の中心部分に、わずかな事実があるのか？　そして、中央アナトリアのヒッタイト人のような、後期青銅器時代の同時代の他の諸集団を考慮に入れる必要があるのか？

今までずっと解明されていないことがあるため、これらの問いへの答えを求めて現在も調査が進められている。そのおかげで、トロイア戦争が起こったのではと推定されている時から三千年以上経っているのに、この戦争についての現代の研究は今日でも依然として活発で興味深い。だから、物語はみごとに単純だというのに、トロイア戦争に関する書物は一見したほどやさしいものではなく、読者が思っている以上に細部を重視する、複雑なものにどうしてもならざるをえない。というのはホメロスの物語を語りなおすことは、ことわざにいう氷山のほんの一角だからである。ギリシア語の情報源もヒッタイト語の情報源も二つ以上のトロイア戦争を記録しているため、ホメロスの語る戦争が、もしあったとすれば、どちらの戦争なのかを決めなければならない。さらに、ヒサルルック（古代のトロイア）遺跡には九つの都市が順々に重なり合うかたちで存在するため、プリアモスのトロイアがあったとすれば、そのうちのどれだったかを決めなければならない。だがこういう議論に進む前に、物語そのものを検討し、トロイア戦争についてギリシア語の情報源からわかることを確認しなければならない。

第Ⅰ部　トロイア戦争

第1章　『イリアス』『オデュッセイア』「叙事詩の環」による物語

トロイア戦争の話はよく知られている。とりわけ高校や大学の課題で『イリアス』か『オデュッセイア』を読んだり、両叙事詩のたくさんの翻訳のうち最近出たものをひとつでも読んだことがあったり、『トロイ』というハリウッド映画を観たりしたことがあれば、トロイア戦争はなじみ深い話である。『イリアス』も『オデュッセイア』もトロイア戦争の話を長々と詳しく語っている。それにもかかわらず、意外なことに、古代トルコの丘の中腹での運命的な一騎打ちや、中が空洞の木馬の計を用いたトロイア攻略、それに続いてギリシアの戦士たちが海を越えて故国に戻る旅など、現代の読者にもおなじみのできごとの多くは両詩では目立たない。詳述されているのはオデュッセウスの帰国の話だけだ。たとえば「トロイアの木馬」は、『オデュッセイア』第四歌でメネラオスが自身の旅と労苦について語るなかでただ一度触れられるだけで、『イリアス』はこれにまったく言及しない〔木馬の話は『オデュッセイア』第八歌四九二

―五二〇行と第一一歌五二三―三二行でも語られる〕。

トロイア戦争とその余波全体について知るには、現在「叙事詩の環」と総称される六篇の叙事詩群に頼らなければならない。「叙事詩の環」が成立したのは十中八九、紀元前八世紀から同六世紀、すなわちだいたいホメロスとそのすぐ後の時代である。これらの叙事詩群のうち、『イリアス』と『オデュッセイア』だけが、欠けがなく全体が完全な形で残っている作品である。それ以外の詩は、時が経つにつれてほとんど失われ、後世の著述家たちによる引用や要約で一部分が残っているにすぎない。こういった文学断片を集めたのは、プロクロスと名乗る人物である――現在ではこの人は、文法学者であり、紀元後二世紀に生きてローマ皇帝マルクス・アウレリウスの師傅(しふ)をつとめた、エウテュキウス・プロクルスのことだと考える学者もいる〔エウテュキウス・プロクルスと『文学便覧』のプロクロスは別人とする説が強い〕。あるいは、プラトン哲学に精通し(「新プラトン主義者」)、先に述べたプロクルスの三百年後の紀元後五世紀に生きたプロクロスという人物のことだとする人たちもいる。

いずれにせよ、どちらかのプロクロスがさまざまな叙事詩の短い要約と抜粋を引用して、『文学便覧 *Chrestomatheia Grammatiki*』という本にして出した。この題名は「学習に役立つ」という意味のギリシア語に由来する。そしてこれが語源となって、chrestomathyという現代英語の単語――「ひとりもしくはそれ以上の著述家による文学作品の精選名文集」としばしば定義される――ができた。プロクロスはこれらの断片的な叙事詩をまとめるさい、それまでは別々の話だったものから、今では途切れなく続くひとつの物語に見えるものを作り出したのである。

ホメロス以外の叙事詩の文学的断片の数々は、ホメロスが時としてさらっと流した細部を詳しく話してくれる。これらの断片群をひとまとめにすると、トロイア戦争の起源に関する情報がわかるのである。さらに、ギリシア軍がトロイアを占領しようとして失敗に終わった最初の試みも述べているし、「トロイアの木馬」の一部始終も説明している。紀元前五世紀の古典期ギリシアの劇詩人たちが、後代になってからこの話をさまざまに扱ったことで——ウェルギリウスやオウィディウス、リウィウス、クイントス・スミュルナイオスを含めたさらにもっと後の時代の作家たちが、英雄物語の別バージョンや拡大版や続編を著したのも同様に——、さらに多くの細部がこの話に追加され、今日私たちが知っているような形へと肉づけされている。当然のことながら、後代の追加部分は本来のストーリー展開としばしば矛盾する。なかには、戦争中にヘレネが実際にトロイアにいたかどうかという話まで含まれているのである。

『キュプリア』

「叙事詩の環」は『キュプリア』から始まる。当初、この詩は一一巻（もしくは一一章）の長さがあり、トロイア戦争にいたるまでのできごとと、戦争の最初の九年間を扱っていた。今も残っているのは、『キュプリア』の冗長だが有益な要約だけである。プロクロスの言によると、『キュプリア』の元の作者はホメロスではなく、サラミス〔キュプロス島の町〕出身と伝えられるヘゲシアス〔ヘゲシノスともいわれる〕という名の男、あるいはおそらくキュプロス出身のスタシノスだった。別の伝承では、この叙事詩は実際には（トルコの西海岸にある）ハリカルナッソスのキュプリアスによって書かれ、『キュプリア』という題名は著者の名前からきているという。このテクストの著者とおぼしき三人はみな、おそらく紀元前六世紀に生きていた。

『キュプリア』冒頭では、ゼウスが——どういう理由かはっきりしないが——トロイア戦争を始めようと企んだと告げられる。そのためにゼウスは、戦争の英雄でアイギナ島の王子ペレウスとテティスという海のニュンフ〔下級の女神〕の婚礼に、「争い」の女神エリスを送り込んだ。このカップルは後日、この時点ではまだ誕生していない英雄アキレウスの親になる。

エリスは、ペレウスとテティスの婚礼の場で口論が起こるようにしむけた。ヘラ（ゼウスの妃）とアテナ（知恵と戦争の女神）とアプロディテ（愛と美の女神）が、この三女神のうちで誰が最も美しいかをめぐって言い争ったのである。これについて詳しく述べている後代の情報源によると、エリスは「最も美しい方へ」と彫られた黄金のリンゴを大勢の宴客の中に投げ入れてこの口論をわざと起こしたという。ヘラとアテナとアプロディテはそれぞれ、われこそはと確信しているため、言い争いを自力で解決するのは無理だった。そこでゼウスは伝令の神ヘルメスに、三女神をイダ山に連れて行くよう命じた。現在のトルコ西部（古代のアナトリア）にあるこの山で、女神たちはひとりの若者と出会った。

『キュプリア』のテクストは、この若者をアレクサンドロスとしている。ところが、最も初期の現存版のひとつの欄外に後代の注釈者による注記があり、それによると、「叙事詩の環」のこの個所で初めて登場するこのアレクサンドロスは、とくにパリスと同一人物と見なされるという。ホメロスや初期のギリシア詩人はこの人物をアレクサンドロスと呼ぶほうがはるかに多いが、現代の読者にはパリスという呼び名のほうがよく知られている。これはおそらく、後代のアレクサンドロス大王との混同を避けるためであろう。アレクサンドロス大王は、ホメロスが詩を書いたとされる頃にはまだ生まれてもいなかったのだ。アレクサンドロス／パリスは、ここで「人間たちのうちで最も見目麗しい」と描写され、三女神のうちから一柱の女神を選ぶことを承諾する。この一件は今では「パリスの審判」として知られ、ピーテル・パウル・ルーベンスの同名絵画は、イダ山で起こったらしいできごとを魅力的に描いている。

　アレクサンドロス／パリスはトロイア王プリアモスの息子だったが、新生児のときに宮廷から追い払われた。どうやら、プリアモスが見たある夢の中で、妻のヘカベは息子でなく炎をあげる蛇のからまる松明（たいまつ）を生んだらしい〔プリアモスではなく出産直前のヘカベが夢を見たという伝承もある。アポロドロスの『ギリシア神話』三・一二・五では、この夢に蛇は登場しない〕。松明の火の粉がトロイアの町を取り巻いている高く生い茂った草を燃やし、町は焼け落ちた。プリアモスが夢占い師らを呼び集めると、彼らは、胎内の子はこの町の呪いとなり、父親の災難の種となるだろうと断言し、予言が実現しないよう赤子を森に置き去りにして死なせるよう進言した。

パリスは、生まれるとすぐにプリアモスの家畜番の男に渡された。男は幼いパリスをイダ山へ運び、死なせるつもりで野外に置き去りにしたけれども、赤子は熊に命を救われて育ち、家畜番の男が戻ってみるとまだ生きていた。そこで家畜番は男の子を自宅に連れ帰ってわが子として育てた。

アレクサンドロス／パリスは、三女神のうちで誰が最も美しいかについて重大な決定をしたときには、自分が王家の生まれであることを知らなかった。トロイアに行って自分の真の素姓を知り、父母や一族全員と再会したのは後になってからにすぎなかった。彼に名前が二つあるのはそのせいかもしれない。つまり、誕生時にあるいは後に家族と再会したときにつけられた名と、家畜番の男によってつけられた名である。二つの名前について考えられる説明は、もちろんほかにもたくさんある。トロイア人が用いた名とギリシア人が用いた別の名という説明、あるいはパリスという人物が主役のものとアレクサンドロスという人物が主役のものという、元来別々だった二つの神話・伝説の合体がここに見られるという説明などである。

このうち後者の、ここでわかるのは似たような複数の話を統合した結果だという提案が、たぶん可能性が一番高そうだ。というのは従来指摘されてきたように、これらの叙事詩には二重の名前はおろか三重の名前の例さえ、多数見られるからだ。アレクサンドロス／パリスという二つの名前だけではなく、トロイア近郊の主要な川（スカマンドロスとクサントス）や、ミュケナイ人を指す三つもの名称（アカイア人、ダナオイ人、アルゴス人）もある。アレクサンドロス／パリスの場合は、名前の重複にすぐ気づくかもしれない。というのは、たとえば『イリアス』第三歌の中でさえ、アレクサンドロス（Ἀλέξανδρος）ともパリオス、パリス（Πάριος, Πάρις）とも呼ばれているからである（第三歌一六行と三〇行および三二五行と四三七行を比較せよ）。全体的に見れば、彼は『イリアス』では七つの巻でパリスと、五つの巻でアレクサンドロスと呼ばれ、「叙事詩の環」ではどちらの名前でも呼ばれている。

　トロイアという都市そのものにも名前が二つある。ホメロスなどの著述家はみな、その住民をつねにトロイア人と呼んだけれども、「叙事詩の環」で彼らの住む都市がトロイア（Τροίη〔ホメロスではトロイエ〕）と呼ばれるのは一回で、六回はイリオス（Ἴλιον またはἼλιος）と呼ばれる。ホメロスもこの二つの名を、意味の区別なく使っている。『イリアス』では、たとえばすでに第一歌でこの都市をイリオスともトロイアとも呼んでいる（第一歌七一行と一二九行を比較せよ）。イリオスという名が元来ギリシア語で語頭にディガンマという文字をつけて書かれたことは、研究者の間ではずっと前から知られていた。つまり語頭にWの綴りがありWの音が発音されたため、たんに「イリオス」というよりむしろ「ウィリオス」だったという意味である。時が経つにつれて語頭のディガンマが失われ、都市名はただのイリオスになった。

　ともかく、いささか信じがたいこのアレクサンドロス／パリスの話は、「建国神話」として知られる。「建国神話」とは、思いがけない人物が一国の王座についたり国民の指導者になったりしたことを叙述し説明するために、古代によく用いられた神話である。古代世界における他の地域の有名な「建国神話」としては、伝説上の人物と歴史上の人物も含めて、紀元前二十三世紀メソポタミアのアッカドのサルゴン大王、紀元前十三世紀エジプトのモーセ、紀元前八世紀ローマのロムルスとレムス、そしてとくに紀元前六世紀ペルシアのキュロス大王がいる。こういう人々の話はどれも、アレクサンドロス／パリスの話とある程度似ているのである。

〔アッカドのサルゴン王は、伝説によると、生後すぐにユーフラテス川に流されたが、王に仕える庭師に救われて養育された。一方、エジプトに住むヘブライ人のもとに生まれたモーセは、エジプト王が発したヘブライ人新生児殺害命令をのがれるためにナイル川に流されたが、王の娘に拾われたという。ローマの建国者である双子のロムルスとレムスはティベリス川に流されたが狼に育てられ、後に羊飼いに養育されたと伝えられる。キュロス二世はメディア王国の属国の王子で、メディア王国の王の孫でもあった。王は不吉な夢を見たことから、キュロスの殺害を従者に命じた。従者は王の心変わりを恐れて赤子を牛飼いに預け、牛飼いは赤子を哀れんで育てた。この話はヘロドトス『歴史』第一巻一〇八以下に記されている〕

『キュプリア』によると、そして古代ギリシアの他の神話や著述で繰り返されるように、アレクサンドロス／パリスは三女神の美人コンテストの勝者としてアプロディテを選んだ。この選択は、ヘレネの愛を得て結婚するという女神の約束を受けてなされた。他でも述べられているように、ヘレネは世界一の美女である。アテナは知恵を、ヘラは富と権力を賄賂としたが、どうやら、美女ヘレネとの結婚の見込みほどには魅力的でなかったようだ。

次に『キュプリア』は、アレクサンドロス／パリスの家族との再会とトロイアへの帰還を省いて、エーゲ海を越えギリシア本土に向かう航海から話を再開する。彼はギリシア本土で、スパルタ王メネラオスと美しい王妃ヘレネのもてなしを受けた。

メネラオスは信じやすい性格だったか、あまり利口でなかったかのいずれかだ。というのもアレクサンドロス／パリスの到着後すぐに、クレタに向けて出発したからである。アレクサンドロス／パリスとその側近をまだ接待しているさなかにもかかわらずメネラオスがなぜ出発したかを、『キュプリア』は明らかにしていない。それに彼は、どうしてヘレネをクレタに帯同しなかったのか？　『キュプリア』の要約はただ、メネラオスが行った後、「アプロディテがヘレネとアレクサンドロス／パリスを一緒にさせた。そして二人は結ばれた後、たくさんの財宝を船に積み、夜の間に船出した」と、――すこぶる慎重に――言うだけである。もちろん、ヘレネは誘拐されたとギリシア人が主張したのに対して、トロイア人は、彼女は進んでアレクサンドロス／パリスとともに出奔したと主張した。いずれにせよ、メネラオスには「不貞行為により第三者が婚姻関係を侵害する不法行為」で訴えを起こすか、さもなければ、ギリシア人とともに戦争を始めて彼女を取り戻すのは当然だった。

ヘレネが「誘拐」されたのはこれが初めてではなかったかもしれない。紀元後三〇〇年頃に生きて著述したナウクラティスのアテナイオスという後代のギリシア作家は、ヘレネはそれ以前にも少女の頃に英雄テセウスに誘拐されたと伝える。テセウスはおそらく、クレタで（半人半牛の）ミノタウロスを殺した後、ミノス王の娘アリアドネを連れ去ったことのほうで知られている。

興味深いことに、『キュプリア』によると、アレクサンドロス／パリスとヘレネはトロイアに直行せず、それどころか「最も美しい方」に選ばれなかったことに恨みをつのらせたヘラが嵐を起こして邪魔をしたため、二人の船は現在のレバノンにあるシドンまで運ばれたという。アレクサンドロス／パリスはただ下船しただけでなく、ヘレネといちゃつくのをしばらく止め、時間をかけてこの都市を攻撃し占拠した。それからやっと二人は旅を続け、トロイアに戻った。ホメロスは『イリアス』で、この二人がトロイアに到着する前に途中でシドンに立ち寄ったことを認め、こう言っている。

ここには王妃のためにシドンの女たちが作りなした、きらびやかな衣装の数々が納めてあった。この女たちは以前、神にも見まごうアレクサンドロスが、広い海路(うなじ)を越えて遥々シドンの地から連れ帰ったもの、正にかの名門の出のヘレネを伴ってきた旅の途上の出来事であった。

（『イリアス』第六歌二八九―九二行）

ともかく、『キュプリア』はシドン攻撃について手短に言及するだけで、それ以上の説明はない。紀元前五世紀の歴史家ヘロドトスは『キュプリア』で提示された話形を知っていた。というのは彼はこれに言及しており、ホメロスもこれをよく知っていたと指摘して、その証拠に右の数行を引用しているからだ。シドン訪問に敵意が含まれていたとホメロスはほのめかしていないため、ヘロドトスの主張はあまり納得のいくものではない。ただし、ヘロドトスはこの話の別の話形も詳しく語っており、それによると、アレクサンドロス／パリスとヘレネは風にあおられて進路から逸れ、レバノンではなくエジプトに上陸した（ヘロドトス『歴史』第二巻一一三―一一八）。この時点で、話の筋は少しあいまいになる。ギリシアの悲劇詩人エウリピデスも似たような話の筋を追ったからである。紀元前四一二年上演の劇『ヘレネ』でエウリピデスが言うには、本物のヘレネはヘラに連れ去られてエジプトで十年間過ごしたのであり、ヘレネの代わりにアレクサンドロス／パリスと一緒にトロイアに行ったのは、見た目が彼女にそっくりの幻だったのだ。

『キュプリア』によると、メネラオスは何が起こったかを耳にするとスパルタに戻り、兄のミュケナイ王アガメムノンとトロイア遠征を計画した。ヘレネを取り戻すためだ。次いで彼はギリシア本土をあちこちめぐって、ピュロスの王ネストルやイタカの王オデュッセウスに遠征参加を募った。オデュッセウスは初めは気が狂ったふりをし、後にようやく、この任務への参加にしぶしぶ同意した。遠征参加に同意した他の指揮官や兵士らについて『キュプリア』概要は述べていないが、『イリアス』のいわゆる「軍船のカタログ」（第二歌四九四―七五九行）に詳しい一覧が載っている。そこにはさまざまなミュケナイ人の王たちと、各王が率いてきた船団と兵士が列挙されている。クリストファー・マーロウは『フォースタス博士』でその数をじょうずにまとめた後、ヘレネについてこう書いている。

これぞ、一千艘の船を船出させ、
イリウムの天を衝く塔を焼き払いし顔（かんばせ）なりや?
麗しきヘレネよ、接吻にて我を不滅となしたまえ。

『キュプリア』の説明によると、ミュケナイ軍の船団と乗船兵士らはその後、ギリシア本土のボイオティア東海岸の港町アウリスで結集した。彼らはこの地で神々に犠牲を捧げ、しかるのちトロイアに向けて出発した。あいにく戦争の予測できない不運に見舞われ、アナトリア本土のトロイアの代わりにその南に位置するテウトラニアに上陸し、これをトロイアと勘違いして荒らした。誤りを正しトロイアそのものを攻撃する前に嵐に襲われ、船団は散り散りになった。一行はアウリスで船団を再編成するはめになった——「叙事詩の環」の断片を研究するドイツの研究者たちのおもしろい提唱によると、それはおそらく九年も後のことであった。トロイア戦争全体が十年かかったわけは九年の遅れで説明されるだろうが、『イリアス』では、戦いのこの最後の一年の一部分だけが叙述される。

後代のギリシア悲劇詩人たちが不滅のものとした一連の悲劇的な事件が起こったのは、ギリシア軍がアウリスから二度目の出航を待っている間のことである。アルテミス女神はそれなりの事情があって、船団の出帆を妨げる風を送ったので、アガメムノンはしだいに待ちきれなくなり、かなり極端と思われそうな手段を講じた。女神の怒りをなだめるために、娘のイピゲネイアを犠牲に捧げようと企てたのである。しかしながら『キュプリア』はこれらの事件に気持ちの安まる解釈を施して、アルテミスは犠牲の最後の瞬間にイピゲネイアをさらっていって不死にし、身代わりに雄鹿を祭壇に残したと述べる。ちょうど旧約聖書創世記二二章で述べられている、アブラハムがイサクを犠牲に捧げるつもりだったときに雄羊がイサクの身代わりになったのと同じである。紀元前四〇五年上演のエウリピデス劇『アウリスのイピゲネイア』は、鹿がイピゲネイアの身代わりになるというこの同じシナリオに従う。しかし、エウリピデスより少し早い紀元前五世紀の悲劇詩人アイスキュロスのような他の作家たちは、紀元前四五八年上演の『アガメムノン』に見られるように、実際にイピゲネイアを生贄に捧げている。

いずれにしても遠征軍はついにふたたび出帆し、最初はテネドス島に、次にレムノス島に、最後にアナトリア沿岸のトロイアに到着した。ギリシア軍は、今回は標的の都市を攻撃した。しかし攻撃は失敗に終わり、トロイア軍に撃退された。この事件とその主役たちと顛末は『キュプリア』に簡潔に記され、詳しい引用に値する。

次にギリシア軍はイリウムに上陸しようとしたが、トロイア軍は防戦し、プロテシラオスがヘクトルに討たれる。次にアキレウスがポセイドンの子キュクノスを討ち取り、トロイア軍を敗走させる。ギリシア軍は自軍の遺体を収容し、トロイア方に使者を派遣してヘレネと財宝の返還を要求する。トロイア方が拒否したため、ギリシア軍はこの都市に最初の攻撃をかけ、次に外に出てその地方や周辺都市を荒らす。その後アキレウスはヘレネを見たいと切望し、アプロディテとテティスが二人を引き合わせる。次にアカイア軍はしきりに帰国を願うが、アキレウスに引き留められ、後にアイネイアスの牛を追い立て、リュルネソスとペダソス、および多くの近隣都市を荒らし、トロイロスを殺害する。パトロクロスはリュカオンをレムノス島に連れていって奴隷として売る。そして戦利品の中からアキレウスはブリセイスを、アガメムノンはクリュセイスを褒賞として得る。次にパラメデスの死が続き、アキレウスをギリシア連合軍から離反させることによってトロイア軍を苦境から救うというゼウスの計画と、トロイアの援軍のカタログが続く。

『キュプリア』の内容要約はこうして終わり、ホメロス『イリアス』第一歌を準備し、ギリシア軍の英雄アキレウスとアガメムノン王の戦利品をめぐる諍いのお膳立てをする。「叙事詩の環」を構成する一連の詩篇に『イリアス』がぴったりはまるのは、まさにこの時点である。

『イリアス』

『イリアス』は戦争最終年のトロイア戦争十年目に起きる動きを詳しく叙述し、トロイアが実質的に占拠され略奪される前の時点で終わる。アキレウスとアガメムノンの口論で第一歌の幕が開き、以後の話の筋の状況説明をする。口論が起きたのは、アガメムノンが得た戦利品のひとつであるトロイア側の捕虜クリュセイス（アポロン神官の娘）を父親に返せという命令が原因だった。そこでアガメムノンはクリュセイスを失った埋め合わせに、アキレウスがかつて戦いで得た戦利品のブリセイスを取り上げる。今度はアキレウスが、アガメムノンがブリセイスを自分に返し謝罪するまでは戦いに出ないと誓う。アガメムノンは、ブリセイスの返還とアキレウスへの謝罪を拒み、ギリシア方は軍随一の勇士アキレウスの働きを失う仕儀となった。アキレウスの不在は一時的だったとはいえ、悲惨な結果をもたらす。

『イリアス』の物語は十年に及ぶ戦争のわずか五十日しか取り上げない。その記述で伝えられることは詳細にわたっていて感動的だが、ばらつきがある。たとえば第一歌がおよそ二十日を取り上げるのに対して、第二歌から第七歌のわずか二日の描写は微に入り細を穿つ。第二歌では、ギリシアの軍勢が「軍船のカタログ」で詳細に記される。その後、同様のこれより短いトロイアの軍勢の記述が続く。第三歌が描くのは、アレクサンドロス／パリスとメネラオスの一騎打ちである。勝者がヘレネも含めたすべてを持ち去る決闘で、もうそれ以上戦わずにここでけりをつけようというものであった。しかしながら、戦争はそう簡単には終わらなかった。土壇場でアプロディテがアレクサンドロス／パリスを救い出したからである。物語では、メネラオスがもう少しで勝って、アレクサンドロス／パリスを兜のあご紐をつかんで戦場から引きずって行きそうになるが、アプロディテの介入であご紐が切れる。まぎれもなく死が間近に迫っていたアレクサンドロス／パリスはそれによって救い出され、戦争は確実に続くことになる。第四歌から第七歌は、最初はオリュンポス山上の神々の間でのできごとに関係し、次に戦場に移って戦闘場面が多くなる。

次の第八歌から第一〇歌の三つの巻は、ただ一日のうちに行なわれる戦闘の詳しい描写が目白押しだ。それには、アレクサンドロス／パリスの兄ヘクトルと、後に自ら命を絶つギリシア方の英雄アイアスの勝敗のつかない長い戦いも含まれる。第一一歌から第一八歌の八つの巻は『イリアス』全二四歌の三分の一を構成するが、この部分も一日の戦闘の記述からなり、その描写は非常に詳しい。ひとつには、アキレウスの親友パトロクロスの死をめぐる事件が第一六歌に含まれるためである。パトロクロスはアキレウスの武具を借りてその日一日中戦い、その間、敵軍からはアキレウスが戦っているとずっと誤解されていたが、ついにはヘクトルに討たれた。第一七歌は、ヘクトルがアキレウスの武具をはぎ取った後のパトロクロスの遺骸をめぐる争いを描く。

別のもう一日のできごとが第一九歌から第二二歌を占める。第二二歌までには、アキレウスは猛然と戦闘に復帰している。今や神々も争いに参入し、ポセイドンは戦闘の結果に影響を及ぼすべく地震を起こす。第二二歌でアキレウスはパトロクロスの仇を討ち、ヘクトルの遺骸をギリシア軍の陣営まで引きずっていく。『イリアス』の最後の二つの巻の第二三歌と第二四歌は、次の二十二日間にわたって起こる活動を描く。おそらく、第一歌で取り上げた二十日間のできごとを反映させるためであろう。第二三歌では、パトロクロスの遺体が巨大な薪の山の上で火葬され、葬礼競技会が行なわれる。『イリアス』最終巻の第二四歌はアキレウスの怒りと悲嘆を描く。アキレウスはわだかまりがあったにもかかわらず、最後は得心がいき、ヘクトルの遺骸をプリアモス王に返還する。そして十二日間の停戦の間に、今度はヘクトルの遺体が薪の上で火葬される。この最後の場面をもって『イリアス』は幕を閉じる。

戦争の残りのできごとを語るのは、付加的ではあるが断片的な叙事詩群である。すなわち、紀元前八世紀から同七世紀に書かれたと推定される『アイティオピス』『小イリアス』『イリオンの陥落』である。ずっと後代の紀元後四世紀のクイントス・スミュルナイオス（スミュルナのクイントス）という名の叙事詩人の作品も、残りのできごとを取り上げている。彼が書いた詩は『ホメロス後日譚』別名『トロイアの陥落』という題で一四巻（章）からなり、『イリアス』の終わりからトロイアの陥落までの期間を取り上げる。現代のほとんどの学者の一致した意見によれば、クイントスは自身の作品を作るために、先に名をあげた先行叙事詩群をおそらく利用したであろうという。

『アイティオピス』

『アイティオピス』は『イリアス』の話が終わったところから始まる。この作品は、ミレトス（アナトリア／小アジア／トルコの西海岸の町）のアルクティノスによって、おそらく早くも紀元前八世紀に、つまりホメロスの著作とほぼ同じ頃に書かれ、五つの章ないしは巻からなる。いきなりエピソードが始まり、アキレウスはまずアマゾン族の女王ペンテシレイアを、次にエチオピアの王子メムノンを討ち取る。メムノンは、プリアモスの先代であるトロイア王ラオメドンの孫である。したがってプリアモスの甥であり、アレクサンドロス／パリスやヘクトルのいとこにあたる。ペンテシレイアとメムノンはともに、トロイア側の援軍を率いてきたのだった。

アキレウスはその後、アポロンの神助を受けたアレクサンドロス／パリスに討たれる。この叙事詩は短い要約しかないため、アキレウスがどのように討たれたかまでは明らかでない。しかしこの叙事詩以外の後代の説明――たとえばオウィディウスの『変身物語』（第一二巻五八〇―六一九行）――から、アキレウスは体の唯一の弱点だった踵（かかと）を矢で射られたことがわかる。母親が息子を不死身にするために、まだ子供の彼をステュクスの川に浸したときにその踵を握っていたのであった。アキレウスの遺体をめぐる戦いに続いて、ギリシア軍は彼を味方の船団に連れ戻し、弔いの薪の山の上で火葬し、彼に敬意を表して運動競技会を催した。これらのできごとを台なしにするのは、アキレウスの武具をめぐるオデュッセウスとアイアスの争いであるが、この争いの決着は「叙事詩の環」における次の詩の『小イリアス』に持ち越される。

『小イリアス』

プロクロスによれば、『小イリアス』はミュティレネ（レスボス島の都市）のレスケスによって四章で書かれた。大方の見解では、レスケスは紀元前七世紀に生きて作品を書いた。この叙事詩は、オデュッセウスがアイアスに勝ってアキレウスの武具と武器を得るところで始まる。アイアスは覚悟を決めて自ら命を絶った。この行為自体が後に、ソポクレスが紀元前五世紀に書いた悲劇の主題になった。その後さらに多くの戦いが行なわれ、両軍とも大勢の死者が出る。死者のうち最も重要なのは、アレクサンドロス／パリス自身である。彼を討ったピロクテテスという名の男は、ソポクレスとアイスキュロスとエウリピデスの悲劇作品の主題になった。アレクサンドロス／パリスの死に続いて、エペイオスがアテナの指示で木馬を建造したが、彼の名はこの件でしか知られていない。特筆すべきことに、木馬というアイデアが導入されるのは「叙事詩の環」ではこれが最初である。

木馬の建造はエペイオスのアイデアだと『小イリアス』は暗示する（「エペイオスはアテナ

の指示で木馬を建造する」)。このようにエペイオスの着想に帰することは、『オデュッセイア』でも次のように繰り返される(第八歌四九二―九四行。第一一歌五二三―三二行も参照のこと)。「今度は趣きを変え、木馬作りの条りをうたってくれぬか――エペイオスがアテネのお助けを得て作り成し、名に負うオデュッセウスが、……敵を欺く罠として敵の城内に運び入れた、その木馬の物語をじゃ。」しかしずっと後代のクイントス・スミュルナイオスは、この着想の功績をオデュッセウスに認め、木馬の実際の製作だけをエペイオスに帰している。

ただ一人賢明な考えをめぐらせた
ラエルテスの息子がカルカスに向かってこう言った。
「天上の神々にこよなく愛される友よ、
もし本当にプリアモスの都が策略によって
戦いにたけたアカイア軍の手に落ちるさだめならば
木馬を造るのだ。われわれ将たちは
喜んでその装置の中へ入ろう。[後略]

(クイントス・スミュルナイオス『ホメロス後日譚』第一二歌二三―二九行)

『小イリアス』は、その次に起こったことを簡潔にこう述べる。「その後、ギリシア軍の主力部隊は、木馬の中に精鋭たちを入れ陣屋に火を放った後、テネドス［ほんの沖合にある島］に船で向かう。トロイア人は紛争が終わったと思ってトロイアの城壁の一部を壊して木馬を城内に運び入れ、あたかもギリシア軍に勝ったかのように祝宴を張る。」後代のギリシア人著述家たちは、クイントス・スミュルナイオス（第一二歌三一四―三三五行）も含め、木馬の内部に潜む戦士の数を三〇人とし（一部の伝承はその数を四〇人まで増やしている）、戦士らの名を告げる。そのなかには統率者オデュッセウス、小アイアス、ディオメデス、そしてメネラオス本人が含まれる。だが『小イリアス』の要約は短く、今あげた戦士らの名も告げない。それどころか突然終わり、話はその次の叙事詩『イリオンの陥落』に続く。

『イリオンの陥落』

『イリオンの陥落』はわずか二章からなるが、エピソードに満ち、叙事詩物語のこの局面を締めくくる。これを書いたのはミレトスのアルクティノス、つまり『アイティオピス』を創作したのと同じ人物である。この詩からは、トロイア人が木馬を城壁の中にすでに引き入れたにもかかわらず、これに疑いをいだき、どうすべきかをめぐって評議することがわかる。結局のところ、トロイア人はこれをアテナに奉納することに決め、「戦争が終わったと思い込み、浮かれ騒ぎと宴会に転じた」。それでもまだ疑念をいだく者もおり、ローマの詩人ウェルギリウスの『アエネイス』第二歌では、ポセイドンに仕えるトロイアの神官ラオコーンが同朋市民にこう警告する。「馬を信じるな、テウクリア人〔トロイア人〕よ。これが何であろうと、わたしはダナオイ人〔ギリシア人〕を恐れる、たとえ贈物を携えてきても。」（Equo ne credite, Teucri. Quidquid id est, timeo Danaos et dona ferentes.）これに由来するのが、「Beware of Greeks bearing gifts.（贈物を携えてくるギリシア人に注意せよ）」という英語の格言である。そして現代テクロロジーの悩みの種のコンピュータ・ウィルスの「トロイの木馬」というアイデア、つまり人のコンピュータにこっそりインストールされた「バックドア」プログラムを通ってハッカーを入らせるというアイデアも、これに由来するのである。

ラオコーンの警告は未来を予知するものであった。なぜなら『イリオンの陥落』は次に、ギリシア軍が夜陰に乗じてテネドスから船で戻る一方、木馬に潜んだ戦士たちは「外に出て敵に襲いかかり、多くの者を殺害し、町を襲撃した」と伝えるからである。プリアモスはゼウスの祭壇で殺害され、ヘクトルの幼い息子アステュアナクスは城壁から投げ落とされた。

ギリシア軍がトロイア人に勝利した結果、メネラオスは妻ヘレネを取り戻し、帰郷に向けて航海の準備をしているギリシア船団に彼女を連れて行った。勝利したギリシア軍はさらに殺戮を重ね、女性捕虜も含めた戦利品を分配した後、故郷をめざして船出した。帰路で自分たちを滅ぼそうとアテナがたくらんでいるとは、彼らには思いもよらなかった。「トロイアの木馬」とギリシア軍のトロイア征服の話を伝えた『イリオンの陥落』はここで終わる。戦争直後の話は、『帰国譚（ノストイ）』というまた別の叙事詩に委ねられる。

『帰国譚』

プロクロスによると、『帰国譚』の五つの章はトロイゼンのアギアスによって書かれた。他の情報源によると、アギアスは紀元前七世紀か同六世紀の人である。トロイゼンはギリシア本土にある小さな町で、偶然にも、伝説上の英雄テセウスの生まれ故郷でもある。『帰国譚』はオデュッセウス以外のギリシアのさまざまな英雄がどのようにしてエーゲ海を越え、自らの土地や王国に帰国したかを語る物語である。

『帰国譚』ではピュロスの王ネストルと、ヘラクレスの甥にあたるアルゴス王ディオメデスはどちらもつつがなく帰国する。ところがメネラオスは、いつトロイアを発つべきかでアガメムノンと言い争ったあげく、故郷に向けて船を進めるうちに嵐に遭った。エジプトに着いたが、船団にはわずか五艘の船しか残っていなかった。『帰国譚』はこれについてそれ以上語らないが、ホメロスは『オデュッセイア』（第三歌二九九―三〇四行）で、メネラオスが後日テレマコスに語る次の話を含めてこの話を具体化する。すなわち、メネラオスはその後、東地中海を八年間放浪し、スパルタに帰りつくまでにエジプトに加えてキュプロス、フェニキア、エチオピア、シドンを訪れた。「思えばさんざん苦しい目に遭い、各地に放浪の末、これらの財宝を船で持ち帰ったのであったが、それは実に八年目の帰国であった。キュプロス、ポイニケ（フェニキア）、アイギュプトス（エジプト）と渡り歩き、アイティオペス人の国、シドン、エレンボイ人の国を訪れ、さらにはリュビエ（リビア）へも行った——この国では、なんと仔羊に生まれた時から角がある」（『オデュッセイア』第四歌八〇—八五行）。

アガメムノンのほうは、アテナをなだめるために初めトロイアに残ったが、その後ついに僚友たちともども故郷に向けて船出したものの、結果として妻のクリュタイムネストラとその愛人アイギストスに殺された。このエピソードおよび、オレステスとエレクトラという、アガメムノンの二人の子供を含む後日譚については、アイスキュロスとソポクレスとエウリピデスをはじめとする後代の紀元前五世紀の悲劇詩人たちが、話を大いに発展させた。『帰国譚』は、メネラオスは最終的にたぶんヘレネを伴って帰国したもののアガメムノンの殺害後にすぎなかったと、手短に述べて終わる。

『オデュッセイア』

ホメロスの『オデュッセイア』は、「叙事詩の環」のうちで完全な形でそろっている二篇の現存叙事詩のうちの一篇で、順番としては『帰国譚』の後にくる。この詩篇は主として、オデュッセウスが終戦後の十年間、帰郷しようとして体験した旅と辛苦についてである。『オデュッセイア』は、『イリアス』と同様に全二四歌からなる。この詩篇の物語は有名で、遠い昔からさまざまな形で語り継がれ、改作もなされてきた。

オデュッセウスの旅自体は基本的にトロイア戦争の話と無関係だが、戦争の歳月を振り返る機会や、他の叙事詩概要ではごく簡潔にしか示されない状況を具体的に詳しく語る機会が、この叙事詩では、オデュッセウスや僚友たちに折りに触れ与えられている。オデュッセウスはたくさんの冒険をした後、最終的に帰国することができた。そして息子テレマコスの助けを借りて、妻ペネロペに群がっていた求婚者たちを皆殺しにした。そして彼はイタカ島の王としての役割を取り戻したのであった。

『テレゴノス物語』

『オデュッセイア』の後にくるのは、「叙事詩の環」の最後の書『テレゴノス物語』である。わずか二章からなる本書は、プロクロスによると、現代のリビアの地に紀元前七世紀に建てられたギリシア植民地だったキュレネの、エウガンモンによって書かれた。エウガンモンは基本的に『オデュッセイア』の追記にあたるこの作品を、比較的すぐ後の紀元前六世紀に創作したと考えられている。この作品はペネロペへの求婚者たちの埋葬で始まる。そしてオデュッセウスは、戦後の帰国途上に女神キルケと一年間同棲してできた、テレゴノスという息子の手にかかって死ぬところで終わる。

後代の著述家たち

オウィディウスやウェルギリウスのようなローマの作家たちはもとより、後代のギリシアの劇詩人たちも、「叙事詩の環」に出てくる細部をさらにふくらませ続け、戦争直後に起こった事件をとくに取り上げた。初期の叙事詩に見られる細部は、より後代の作品に見られる細部より信用できるかもしれない。前者のほうがトロイア戦争という活動により近いからである。しかし読者が留意すべきは、初期の叙事詩でさえ、元の戦争から少なくとも五百年後の紀元前八世紀になってから書かれたのであり、形が定まったのはさらに二百年後の紀元前六世紀のことだった可能性があることである。したがってホメロス研究者と青銅器時代のエーゲ海を専門とする考古学者は、詩篇の細部の正確さに関心を寄せる。ちょうど、ホメロスその人が実際に存在したかどうかや、彼が『イリアス』と『オデュッセイア』の著者かどうかが問題になるように。

第2章
トロイア戦争の歴史的背景
——ミュケナイ人、ヒッタイト人、トロイア人、「海の民」

トロイア戦争が実際に起こったとすれば後期青銅器時代の末期、紀元前二千年紀の終わり頃に戦われたという点で、古代の学者も現代の学者も意見が一致している。この時期にはトロイアおよびトローアス（アナトリアのビガ半島）地域を間にはさんで、ギリシア本土のミュケナイ人とアナトリアのヒッタイト人が古代地中海の二大勢力になっていた。ミュケナイ文明もヒッタイト文明も紀元前一七〇〇年頃から同一二〇〇年頃まで繁栄した。トロイア戦争が本当に起こったとすれば、この二つの集団が崩壊する前に戦ったとせざるをえない。トロイア人そのものは、アナトリア北西部にあるヒサルルック（古代トロイア）遺跡での発掘品からしかわからないが、ミュケナイ人もヒッタイト人もこれまでにかなりよく知られている。関与したかもしれないもうひとつの集団、すなわちいささか謎めいた放浪の「海の民」はさほど有名ではないが、それでも興味をかき立てる集団である。

ミュケナイ人

ハインリヒ・シュリーマンが一八七六年にギリシア本土にあるミュケナイの古代遺跡で発掘し始めた頃には、後期青銅器時代のあいだこの地方に存在した文明について、ほとんど知られていなかった。シュリーマンは一八七〇年にプリアモスの町トロイアの調査に入り、トロイアがトルコ北西部に位置することをかなり短期間でつきとめたので、アガメムノンの宮殿を見つけようと決意したのである。

この文明は彼がミュケナイで発掘したことから、ミュケナイ文明と名づけられた。そしてすぐそばのティリンスの遺跡での仕事だけでなく彼のミュケナイでの仕事も、ほどなく他のさまざまな国籍の初期の考古学者たちによって補完された。彼らはギリシア本土のいたるところで、クレタ島やキュクラデス諸島でも、青銅器時代の遺跡の位置をさらにつきとめ、発掘したのである。ミュケナイ人が紀元前一七〇〇年頃から同一二〇〇年頃にギリシア本土に定住していたことが、二十年も経たないうちに明らかになった。一八九六年には、『ミュケナイ時代――ホメロス以前のギリシアの遺跡と文化』という、このテーマに関して最も信頼のおける最初の書物が刊行された。

ミュケナイ文明は、ミュケナイなどの遺跡で発掘中に見つかった遺物からだけでなく、ギリシア本土やクレタ島にさえある、ミュケナイ時代の主要な遺跡から発見された一連の粘土板からも再構築できる。粘土板は、現在では線文字Bとして知られる書記体系で刻まれている。粘土がまだ湿っている間に表面をひっかいて文字を刻んだのである。一九五二年に解読されたこの線文字Bは、ギリシア語の初期形態で、在庫関係や人と物のリストを含む商取引の記録を永年保存する必要のある、行政官僚によっておもに用いられた。

線文字B粘土板が最も数多く発見されているのは、賢明な老王ネストルの伝説的な故郷ピュロスで、シンシナティ大学のカール・ブレーゲンによって一九三〇年代に発掘された。この都市はギリシア本土の南西に位置し、紀元前一二〇〇年頃に破壊された――ミュケナイ文明を終焉させた甚大な一連の大惨事の一部であった。火災を伴う破壊によって粘土板がたまたま焼き固められ、落ちた場所で保存された。それが数千年後に発見され解読されたのである。

これらの粘土板に刻まれたテクストは傑作文学ではなく、経済関係のありふれたテクストである。おもに宮殿に出入りする物品の日常的な在庫目録で、どの行にも、修理の必要な戦車の車輪の数やミュケナイに送られた反物の数や養うべき奴隷の数が書かれている。ピュロスで見つかったテクストに記載された女性労働者のなかには、西アナトリア起源と解釈できる民族特有の名前をもつ者たちもいる。そういった女性たちは、トルコの西海岸にあるミレトスやクニドス、ハリカルナッソス出身であった。他にも、この海岸のすぐ沖合のドデカネス諸島出身の女性たちがいた。おそらくトロイア戦争以前にミュケナイ人が売買したか捕虜にした女奴隷だった。

ミュケナイ人の経済はいわゆる地中海三大作物——葡萄とオリーブと穀物——に基づいていた。漁業も少しするものの、少なくとも大部分の人々にとっては畑作を中心とした、主として農民の生活様式だった。上層階級の人々はもう少し贅沢にふけることができて、金や銀、青銅、象牙、ガラスでできた品物を所有した。商人や職人や長距離貿易業者たちからなる中産階級が、これらの奢侈品を支え供給した。繊維工業と香水産業は、オリーブオイルやワインの生産と同じく、最も利益の多い産業のひとつであった。

これらの品物の一部、とりわけ織物と香水とオリーブオイルは、地元ギリシアだけでなく、遠く離れたエジプトやカナン（現代のイスラエルとシリアとレバノン）でも、さらにメソポタミア（現代のイラク）でも需要があった。ミュケナイ土器も、国内外で需要があった。とはいえ、土器がそれ自体として尊重されたのか、入っていた内容物のおかげで尊重されたのかはかならずしも定かでないのだが、瓶や壺や杯など数千個のミュケナイ製容器が現代の掘削地で見つかっている。掘削地はエジプトからアナトリアとその先まで広がっていて、トロイアでと同じく、毎年ますます多くの容器が復元されている。

ミュケナイ人の王たちの宮殿は、その地の最高レベルの権威にふさわしいものとして、たいていギリシアの各地域や各区域で一番高い丘の上に建てられた。宮殿はぶ厚い城壁で要塞化され、要塞の入り口もミュケナイのいわゆる獅子門のような巨大な門で堅固に防備されていた。

ただし、これらの宮殿はたんなる王の住居以上の存在で、自国や海外で作られた物品や、収穫期に取り入れた農作物を後で使うための、倉庫と再分配の拠点の役割も果たしたのである。要塞の城壁内には、宮殿の周りに王の廷臣と行政官と王族の人々の家のほか、宮廷職人たちの作業所があった。

ミュケナイ時代にギリシアにあったほぼすべての宮殿の要塞の下に広がる丘の斜面には、都市域にあたる下市の家々があった。都市域とその周辺のもっと小さな村々に住んだのは、ごく普通の農夫や貿易商人、小売商人、職人といった、それぞれの王国を支えた人々だ。その大多数は男女とも読み書きを知らず、識字能力があるのはおそらく人口の一パーセントにも満たなかっただろう。

ミュケナイ文明は紀元前一二〇〇年頃か、そのすぐ後に終焉した。当時、地中海地域全域に影響を及ぼしていた諸文明が全体として崩壊し、ミュケナイ文明の終焉はその一環であった。その原因は今なお正確には明らかになっていないが、旱魃や地震や外部集団による侵略などの関連諸要因が組み合わさったせいだったのかもしれない。

ヒッタイト人

ヒッタイトはヘブライ語聖書のおかげで名が知られた文明であったが、十九世紀に再発見されるまで、近代世界にとって物質的には失われていた。聖書はヒッタイト人に何度も言及している〔新共同訳の旧約聖書では「ヘト人」と表記されている〕。それはおもに、アモリ人やヒビ人、ペリジ人、エブス人などの、カナン人の多くの部族の一部族としての言及である。特定のヒッタイト人への言及もある。たとえば、アブラハムが妻サラのために墓地を買った相手のヒッタイト人エフロン（創世記二三章三―二七節）や、バト・シェバの最初の夫だったヒッタイト人ウリア（サムエル記下一一章二―二七節）で、ソロモン王も、「ヒッタイト女たち」を側室にかかえた（列王記上一一章一節）。

ヒッタイト人の定住地がカナンでなくアナトリアであったことが最終的に明らかになったのは、スイス人探検家ヨハン・ルートヴィヒ・ブルクハルトのような先駆者や、イギリス人のアッシリア学者アーチボルド・H・セイスのような学者が調査してからのことである。誤った場所が聖書に記されたのは、聖書が書き留められた紀元前九世紀から同七世紀の間までには、もともとのヒッタイト人がもう姿を消してしまっていたからだと説明できるかもしれない。けれどももともとのヒッタイト人の後継者である、いわゆる新ヒッタイト人は、この時点まではカナン北部にすっかり定着しており、聖書の著者たちがよく知っていて、時代を誤って言及した相手は、この新ヒッタイト人だったのである。加えて、「ヒッタイト人（Hittites）」という名が誤っていることも明らかになった。聖書がヒッタイト人に言及しているという理由で、学者たちは後期青銅器時代アナトリアの王国のことを言うためにこの名を選んだにすぎなかった。しかしながら当の人々は一度もヒッタイト人（Hittites）とは名乗らず、むしろ「ハッティ（Hatti）の地の民」と称していた。

一九〇六年までには、ドイツの考古学者たちがヒッタイト人の首都ハットゥシャ（アンカラの一二五マイル東にある現在のボアズカレ）で発掘し始めていた。一年も経たないうちに見つかり始めた粘土板には、公的な記録史料や諸条約はもとより、日常生活のさまざまな側面を記録したものもあった。記録はヒッタイト語やアッカド語、ルウィ語など、いくつかの異なる言語でなされ、そのすべてが現在かなりの程度まで解読されている。テクストはすべて、後期青銅器時代にさかのぼるものだった。というのは、ヒッタイト人はミュケナイ人と同じように、だいたい紀元前一七〇〇年から同一二〇〇年に栄えたからである。

現代のトルコのいたるところで年々増えていく多くの遺跡からの発掘物などから、ヒッタイト人は比較的小さなほとんど無名の諸王国から新興の一帝国へと紀元前十七世紀中葉に発展し、そのときに首都をハットゥシャに建設したことが、今日ではわかっている。数十年後にはすでにバビロンを攻撃できるほど強力になり、ハンムラビ王が始めた古バビロニア王国を倒した。その後、紀元前十二世紀にヒッタイト文明が崩壊するまで、近東の主要地域の超大国としてエジプトと覇を競った。

またハットゥシャで発見された文書はもちろん、現代のエジプトやシリアやイラクで見つかった文書からも、ヒッタイト人が後期青銅器時代の他の諸大国と、ものや言葉のやり取りをし、他の形の交流もあったことがわかる。相手は新王国のエジプト人やアッシリア人、バビロニア人で、もちろんウガリトの弱小諸王国や、北シリアとアナトリアにある他の地域、たとえばトロイア（ヒッタイト人はトロイアをウィルサもしくはウィルシヤと呼んだ）とも交流があった。全体的に見ると、ヒッタイト人はかなり自給自足していたようだ。とはいえ現存する証拠文書によると、ヒッタイト人はときおり穀物を輸入しただけでなく、たぶんオリーブオイルと、もしかするとワインも輸入していた。発掘と研究が始まって以来すでに一世紀が経過した現在では、ヒッタイトの社会や宗教、外交関係、建築、物質的文化の再構築に関して、研究者たちはかなり自信を持っている。

ヒッタイトの権力が絶頂に達したのは紀元前十四世紀と同十三世紀の間、とくにシュッピルリウマ一世とその後継者らの治世であった。その頃、ヒッタイト帝国は北シリアまで拡大して、エジプト新王国と接触を繰り返すようになり、ときには衝突もした。ヒッタイトの最後の偉大な王トゥドハリヤ四世は紀元前一二三七年から同一二〇九年に統治し、キュプロス島を征服したと主張して金銀を運び去った。その後まもなく、紀元前一二〇〇年頃にヒッタイト王国は崩壊した。それはおそらく、エジプトの記録文書によると「ハッティの地」を破壊した謎めいた「海の民」のせい、もしくは、ハットゥシャのすぐ北に定住する、カシュカとして知られる敵対する隣人によるものであろう。

トロイア人

トロイア地域とトロアド地方は青銅器時代以来、つねに主要な交差点にあたり、南から北、西から東へのルートを支配していた。それには、地中海から黒海に通じる水門であるヘレスポントス海峡への入口も含まれていた。ゆえにトロイアを支配する者は誰であれ、その地域全体を経済的にも政治的にも支配下における可能性があったのである。この地域がそれほど多くのさまざまな民族にとって何世紀もの間——トロイア戦争にいたるまでの時代から第一次世界大戦時のガリポリの戦いも含めて——、なぜそれほど魅力的だったのか、理由は想像に難くない。したがって、ミュケナイ人もトロイアとアナトリアの西海岸に関心をいだいたであろうことは、おそらく驚くにはあたらないであろう。とりわけ、この地域はヒッタイト帝国の外縁にあるだけでなく、ミュケナイ人が支配するエーゲ海域の外縁でもあったからである。

とはいえ、実際のトロイア人についてはあまりよくわかっていない。それぞれ多数の遺跡で物質文化やテクストが見つかっているミュケナイ人やヒッタイト人とは違って、トロイア人はトロイアというたったひとつの拠点と、隣接する周辺地域に居住していた。さらに学者たちが指摘してきたように、文字どおりに言えば、ある特定の時期にたまたまこの都市に住んでいた者はみんな、トロイア人なのであった。この都市はその歴史を通じて、何度も破壊されてはまた人が住んだ——（古代のトロイアと同定される）ヒサルルックの丘の内部には、少なくとも九つの都市が一つひとつ前の都市の上に建てられた——ので、紀元前三〇〇〇年のトロイア人の民族性は、千年後の紀元前二〇〇〇年代末、トロイア戦争の頃とされる民族性とはたぶん違ったであろうし、さらにそれから千年後、つまりヘレニズム時代のギリシア人やローマ人がこの場所に居住したときの民族性とも、また違ったであろう。

それでも、トロイア戦争の時期に焦点を絞るなら、過去一世紀以上にわたってヒサルルック／トロイアで行なわれた四回の発掘からだけでなく、同時代の文明に属するトロイア以外の地域で発見されたテクストからも情報収集が可能だ。すると、たとえばヒッタイトのテクスト群のなかにトロイアが見つかるのである。ただしヒッタイト人がウィルサと呼ぶ都市とトロイアが同じものだという仮定が正しいとすれば、ではあるが。これらのテクスト群は、トロイアの王たちが傀儡王としてたびたびヒッタイト人の大王に仕えた、敵対することもあれば平和な時期もある、数百年にわたる持続的関係性を示している。

ことによるとトロイア人は、後期青銅器時代のコスモポリタン世界の特徴である、国際交易にも関与したかもしれない。機織りと関係する紡錘車がヒサルルック発掘のさいに数多く見つかっており、繊維製品の大規模な生産を示唆する。ホメロスはトロイア人を馬の養い手とも呼ぶが、馬は青銅器時代の軍隊の戦車に必要な、貴重な生活必需品であった。とはいえ織物も馬も壊れやすい物質で、考古学的記録にはほとんど残らないだろう。そういうわけで私たちは、ミュケナイ人向けのものも含め、この時期に地中海の他の地域へ輸出された可能性のあるトロイアの物品を特定するのに四苦八苦する。例外は「トロイア灰色土器」と同定されている特殊なタイプの土器だが、これがトロアド地域で生産されたかどうかはわからない。

「海の民」

「海の民」のことがわかるのは、おもにエジプト人の記録からである。というのは彼らは、メルエンプタハ王治世下の紀元前一二〇七年と、ラムセス三世の治世下の同一一七七年の二度にわたって、エジプトを襲撃したからである。「海の民」は古代地中海を研究する歴史家と考古学者たちに、混乱と当惑を与え続けている。というのは、彼らはどこからともなく突然やってくると広範囲にわたって破壊し、その地域の最強国と戦うと、また忽然と歴史から姿を消したように見えるからである。「海の民」が北方からつまり海のまっただなかの島々から来たと碑文に記しているのは、エジプト人である。ラムセス三世は明確にこう述べている。

異国の民は故郷の島々で共謀した。争いのなかで人々はいちどきに殺され、四散した。彼らの武器の前で持ちこたえられる地はなく、ハッテからコーデ、カルケミシュ、アルザワ、アラシヤまで［一挙に］撲滅された。アムルのある場所に陣営が［築かれた］。その地は彼らのせいで無人になり、初めからなかったかのようになった。彼らはエジプトめざしてやってくるも、彼らの行く手には火炎が用意されていた。ペレセト人、チェッケル人、シェケレシュ人、ダヌナ人、ウェシェシュ人がその同盟連合で、地上のありとあらゆる地に手をつけた。その心は自信に満ち溢れ、「われらの計画は成功をおさめる」と信じて疑わなかった〔ハッテはヒッタイトの地。コーデは南東アナトリアに、カルケミシュは現在のトルコとシリアの国境線上にあった。アラシアは現在のキュプロス島にあたる。アルザワはアナトリア西部に、アムルはシリア北部沿岸にあった。ペレセト人はクレタ島出身と旧約聖書に記されている人々。シェケレシュ人はシチリア島民。ダヌナ人はホメロスが「ダナオイ人」と呼ぶギリシア人か。チェッケル人とウェシェシュ人については詳細不明〕。

伝統的な解釈によると、「海の民」は後期青銅器時代末期の紀元前一二〇〇年頃に、ヒッタイト人、カナン人、ミュケナイ人、ミノア人などの文明世界の多くを終わらせたが、その後彼ら自身もエジプト人によって終わりを迎えた。「海の民」の襲撃の波が西から東へと地中海地域を横切っていく間に与えた損害は、取り返しのつかないものであった。

ただし最新の解釈では、「海の民」はたんなる奇襲部隊をはるかに超えた存在と見なされており、実際に民族全体の移住以外の何物でもなかったかもしれない。男も女も子供も帯同し、財産は牛などの役畜の曳く荷車に積み上げ携えていたのである。彼らがなぜ移動を開始したかは議論の絶えない問題だが、最も確実そうなシナリオには、長期的な旱魃や故国での地震のような自然災害が含まれる。後期青銅器文明末期に見られる損害は、これまで考えられたほどには「海の民」のせいではなかったかもしれず、むしろ「海の民」は、地中海文明をこの時期に終焉させた多くの諸要因のひとつにすぎなかった。そして彼らがトロイアを襲撃したかどうか、あるいはトロイア戦争と何か関係があったかどうかは、これまでそんなシナリオがいくつか提唱されてはきたが、まるで定かでない。

文字記録に残る戦争

後期青銅器時代には、生活がつねに平穏だったわけでもなければ、交易先や近隣諸文明との関係すら、つねに友好的だったわけでもない。とくに紀元前一五〇〇年から同一二〇〇年の間は、トロイア戦争と推定される戦いのほかにも大きな戦いが、当時のさまざまな大国どうしの戦いであれ、拡張期の大国による弱小国への戦いであれ、たくさんあった。たとえばエジプト人は、紀元前一二〇七年と同一一七七年の「海の民」に対する戦いのほかにも、現代のイスラエルのメギド（聖書のアルマゲドン）で戦い、その三世紀前の紀元前一四七九年にはカナン人の反乱軍と戦った。この戦闘はトトメス三世率いるエジプト人の決定的勝利に終わり、その詳細はエジプトのルクソールにあるカルナック神殿の壁にきちんと刻まれた。そのおかげで、この戦いは歴史上初めて記録された戦いになったのである。

同様にエジプト人は紀元前一二八六年にも、今は現代のシリア国内にあるカデシュの地で大きな戦闘を行なった。このときエジプト軍はラムセス二世に率いられ、ムルシリ二世王率いるヒッタイト軍と干戈（かんか）を交えていた。両軍は、北側のヒッタイト帝国と南側のエジプト帝国の間で係争中の土地の支配権をめぐってその地域で戦っていたのである。戦いが終結すると両軍とも勝利宣言し、両陣営によって条約が署名された。この条約の写しはエジプトでもアナトリアのハットゥシャでも見つかっている。

　これらの戦闘に共通する点は、戦闘があったことを文字で記した証拠があり、戦闘があったことは疑いようがないにもかかわらず、これといった考古学的根拠がまったくないことである。トロイア戦争にも同じことが当てはまるとも言える。なぜならこの戦争には、文字で記した証拠はあるが、決定的な考古学的証拠がない（もっとも、考古学的証拠でさえ今は、ヒサルルックの遺跡からの最近の発見物をどう解釈するか次第で変わっていくのだが）。したがってトロイア戦争は、第一にその発生の点でも、まさにこの戦争の存在を今日まで伝えた文芸様式の点でも、後期青銅器時代に唯一無二のものとは限らないのである。

第Ⅱ部　文字による証拠を精査する

第3章
ホメロス問題
――ホメロスは実在したか?『イリアス』は正しいか?

トロイア戦争の裏づけとなるギリシア文学の証拠を研究する現代の学者はたいてい、「ホメロス問題」として知られるものに関心を寄せている。これは実際には、より小さなたくさんの問題からなる。そのうち最も重要な問いは「ホメロスは実在したか?」、そして「ホメロスの『イリアス』と『オデュッセイア』の中の情報は、青銅器時代(トロイア戦争が起こったとされる時代)か、鉄器時代(ホメロスが生きていた時代)か、あるいはその中間のどこかを反映しているのか?」である。この二つの問いはいずれも重要だとはいえ、トロイア戦争の研究ないしトロイアの遺物の発掘に携わるか、もしくは、エーゲ海および東地中海における青銅器時代の世界の再現を試みる学者にとっては、後の問いのほうが意義が高い。

ホメロス

ホメロスとその生涯についてはは実際のところ、あまりよくわかっていない。古代人はホメロスを、口誦詩人——過ぎ去った時代の英雄の事績を歌いながら各地を旅する吟遊詩人——としてきわめて高く評価した。そしてホメロスは今なお、ギリシアの叙事詩人たちのうちで最初の、そしておそらく最も偉大な詩人だと見なされている。言い伝えによると、彼の天賦の才はトロイア戦争の物語（物語群）の編集・結合に、そしておそらく、それを最終的に書き記したことにあった。バリー・パウエルというひとりの学者がかなり変わった提言をしている。ギリシア語のアルファベットは叙事詩を書き記せるよう発明されたのであり、アルファベットは「ただひとりの人物によって発明された……それはわれわれがホメロスと呼んでいる詩人によるギリシア語の長短格六脚韻を記録するためであった」というのだ。他の学者たちは、ホメロスは両叙事詩を創作したかもしれないが、それ以前の叙事詩と同じように口伝を意図したもので、現在『イリアス』と『オデュッセイア』として知られるものが最終的に書き記されたのは、おそらく前六世紀、あるいはさらに後になってからのことだとしている。

ホメロスが実在の人物で、両叙事詩の著者だと仮定すれば——どちらも疑問の余地のある仮定だが——、彼はいつ、どこで生きていたのか？　ヘロドトスは、ホメロスは自分の時代からだいたい四百年くらい前に生きたと考え、「ヘシオドスやホメロスにしても私よりせいぜい四百年前の人たちで、それより古くはないと見られる」と述べた（『歴史』第二巻五三）。ヘロドトスは紀元前四五〇年頃の人なので、ホメロスは紀元前九世紀中葉つまり同八五〇年頃の人ということになるだろう。ただし、何十年にもわたる学界での議論の末、現在ホメロスの年代は一般に約一世紀遅らせて紀元前七五〇年頃とされている。それはひとつには、ホメロスに学んだ詩人のひとりであるミレトスのアルクティノス（『アイティオピス』と『イリオンの陥落』の作者）が紀元前七四四年生まれと言われるからである（アレクサンドレイアのクレメンス『雑録』第一巻一三一・六を参照のこと）。

アリストテレスとピンダロスを含む、古代ギリシアの学者や作家や詩人たちはホメロスの出自について論じた。ホメロスはアナトリア西海岸のスミュルナ（現トルコのイズミル）の出身で、長年キオス島で働いたと考える人もいれば、キオス島かイオス島生まれだと言う人もいる。要するに、彼の出自について大筋で一致したことはなかったのである。実際のところ、ホメロスは実在しなかった、少なくとも一般に言われているような人としては実在しなかったと主張する学者は大勢いる。

他方、ホメロスは単一の個人ではなく少なくとも二人いたとも提唱されてきた。実際、『イリアス』と『オデュッセイア』を書いた人はそれぞれ別々だったと、とくにドイツの学者たち（なかでも一七九五年にフリードリヒ・アウグスト・ヴォルフ）によって、長年考えられていた。ひところ、両詩のテクストのコンピュータによる文体分析がこの結論を裏づけると思われたが、これまでのところ全般的な合意にはいたっていない。ホメロスは男性ではなく女性だったと提案されたこともある。近年、この仮説を擁護する論拠が調査されているが、初めてこれを提唱したのは一世紀以上も前にさかのぼる、サミュエル・バトラーの一八九七年の著作である。

おそらく最もおもしろく、きわめて妥当でもあるのは、ホメロスとは特定の個人ではなく、なんと専門職のことだったという提唱である。すなわち、「ホメロス」という名の人物がいたのではなく、生活のためにトロイア戦争の叙事詩を歌いながら各地を旅する口誦詩人が「ホメロス」だったというものである。もしそうだとすれば、紀元前八世紀に新しい書字体系が広く使えるようになったときに、ひとり以上のこういう専門職の口誦詩人がこの物語の口誦版を書き記したのかもしれない。全般的に見れば、ホメロスについての提唱と書物には事欠かない。それでも簡潔な答えは、私たちは彼についてほとんど何も知らないということである。なにより重要なことには、一般に彼の作とされる『イリアス』と『オデュッセイア』の二篇を実際に彼が書いたかどうかについて、ほぼ皆目わからないということなのである。

青銅器時代か鉄器時代か？

ホメロス問題の後半部分については、当然生じる疑問がある。すなわち、『イリアス』と

『オデュッセイア』にある情報は、青銅器時代（紀元前一七〇〇年―同一二〇〇年）に起こった事件を反映しているのか、鉄器時代（紀元前一二〇〇年―同八〇〇年）に起こった事件なのか、それとも両方の中間のどこかの時点で起こった事件なのかという問いである。この疑問に答えるには、叙事詩テクストから抜き出した情報を考古学から得られた情報と比較しなければならない。

手始めに前提を調べる。まずは、『イリアス』と『オデュッセイア』の中および「叙事詩の環」の各所の描写は、青銅器時代のギリシア社会を正確に表わすという前提、さらに、その描写が口誦詩人たちによって、紀元前一二五〇年から同七五〇年までの五百年間、一語一句そのまま損なわれることなく後世に伝承されたという前提である。ひとりの詩人が、ないしは多くの詩人が、数万行の情報を正確に記憶して五世紀以上にもわたって伝承できるものだろうか？これが本当だという証拠や例にはどんなものがあるだろうか？

一九二〇年代のミルマン・パリーのような、民族誌的分析を用いる現代の学者たちは、口誦詩人が数千行の叙事詩を実際に口頭で正確に伝承できた事実を記録してきた。彼らは、現代の詩人たちがユーゴスラビアやトルコやアイルランドで叙事詩を吟唱し歌う例をいくつも録音したのである。とりわけ多くの詩行や描写が、「眼光輝く女神アテナ」や「駿足のアキレウス」や「指ばら色の曙」のようにありふれた、型どおりの繰り返しであれば、そういう詩篇は明らかになんら問題なく、正確に伝承されただろう。

『イリアス』の軍船のカタログ（第二歌四九四―七五九行）は合計一一八六艘の船に言及している。多くの学者の考えでは、このカタログは青銅器時代からかなり正確に残ったもので、五世紀にわたって何世代もの口誦詩人たちに口頭で伝承された。考古学的調査の知見によると、人と船団を派遣した都市や町としてカタログに載っている場所の多くは、青銅器時代の間しか人が居住せず、ホメロスの時代には遺棄されて久しかった。かつては生気に満ちていたこういう場所も、ホメロスが生きていた当時には、目に入るものがあるとすれば廃墟だけだったであろう。伝説や物語は、一部の人たちの記憶を説明できても、何もかもとまではいかない。カタログがここまで正確なものになるのは、これらの都市が繁栄した後期青銅器時代に作られ、口誦詩人から口誦詩人へ伝えられた末、ついに『イリアス』第二歌の一部として挿入され記録された場合だけである。ただし、カタログは青銅器時代由来の瑕疵のない遺物というわけでもない。というのはカタログには、当時なかったはずの都市があり、何もかも厳密に青銅器時代どおりであれば、当時あったはずの都市がないからである。実のところ、カタログは何世紀にもわたり口誦詩人たちが物語を口頭で伝承していくにつれて変化してきた、融合物のように思われる。

全般的に見ると『イリアス』は、青銅器時代から鉄器時代までの幅広い時期の細部と事実の寄せ集めのようだ。何世紀もかけて伝わるうちに、詩歌が新鮮かつそれぞれの時代にふさわしいように絶えず変更や改訂を受けたとすれば、そうなるのも当然であろう。たとえばパトロクロスとヘクトルはともに、戦死した後に火葬用の薪の山の上で火葬されたと言われる〔それぞれ『イリアス』第二三歌一三八―二五七行と第二四歌七八四―八〇四行〕。「豪勇ヘクトルの遺体を涙のうちに運び出し、薪の山の一番上に遺体を置いて火をつけた」。土葬による埋葬ではなく荼毘に付すという慣習は、青銅器時代ギリシアよりも鉄器時代ギリシアの特徴をずっとよく示すにもかかわらず、壺に遺骨を入れて埋められた紀元前十四世紀末期にさかのぼる火葬墓地が、トロイア／ヒサルルック遺跡の6hの深さのところで発見されている。

加えて、ホメロスが詳しく描写した猪の牙の兜は、青銅器時代の終わりまでにはもう使われなくなっていた。猪の牙をずらりとはめ込んだ兜やそれをかぶった戦士を描いた絵は、ギリシア本土のティリンスやクレタ島のクノッソス、デロス島のような遺跡で見つかっているが、そうした兜はホメロスの時代にはもはや見られなくなっていたであろう。にもかかわらず、『イリアス』〔第一〇歌二六〇―六五行〕には、そんな兜をよく知っているような描写が見つかるのである〔兜については解説参照〕。

オデュッセウスには、メリオネスが弓と矢筒とを貸し与え、革製の兜を被らせてやる。兜の内側は多数の革紐を固く締めて巻き、外側は野猪の白い牙が両側にぎっしりと、巧みな細工で植え込まれ、内側はフェルトで裏打ちしてある。

同様に、アイアスについてのホメロスの描写とアイアスが使った「櫓のごとき大楯」は、青銅器時代に由来するだけでなく、この時代のうちでもトロイア戦争以前の時期のものと考えられている。

アイアスは櫓の如き大楯をかざしつつ迫ったが、この楯は七枚の牛革を張った青銅造り、ヒュレの住人、革細工の名工テュキオスが彼のために作ったもの、強健な牡牛の革七枚を重ね、さらに八枚目に青銅の板を被せた輝くばかり見事な楯であった。

（『イリアス』第七歌二一九―二二三行）

そうした楯が、そして猪の牙の兜も、ギリシアのサントリーニ島のアクロティリ遺跡にある一軒の家の内部に描かれた、いわゆる細密フレスコ画の中に見られ、その年代は十中八九、トロイア戦争が戦われたと言われる時期より四百年前の紀元前十七世紀にさかのぼる。一部の研究者の考えでは、アイアスは先行する時代からの英雄で、もとは今は失われた別の叙事詩の主役だったが、聴衆にすでにおなじみの登場人物として『イリアス』に取り入れられたという。

トロイアの英雄ヘクトルにも櫓のごとき大楯を巧みに使う場面があり、そこでは大楯が彼の踝（くるぶし）と頸筋を打つ（『イリアス』第六歌一一七―一一八行）。ヘクトルも、「全身が身に帯びる青銅の武具で照り輝いていた」と描かれている（『イリアス』第一一歌六五行）。この描写はこの巻の他の個所にある似たような描写と同様に、ミュケナイ近郊のデンドラ遺跡から出土した発見物によって立証されると、今は考えられている。この遺跡から出土したのはホメロスの描写を連想させる武具一式だが、しかし年代は紀元前一四五〇年頃にさかのぼる。この出土品のおかげで、ホメロスの言及は青銅器時代についての知識を示すもうひとつの例となる。

大楯や武具一式よりもありふれた武具類、たとえば向こう脛を守るために「脛当美々しきアカイア人」が使った脛当などは、『イリアス』で何度も描写され（たとえば第三歌三三八―三三九行、第四歌一三二―一三八行、第一一歌一五―四五行、第一六歌一三〇―一四二行、第一九歌三六四―九一行）、しかも、ホメロス自身の時代の品目よりもむしろ青銅器時代の品目を反映している。装具を身につける順序はつねに同じで、脛当、胴鎧、剣、楯、兜、しかるのち槍、という順である。

パトロクロスは輝く青銅の武具に身を固める。まず脛には、足首を締める銀の留め金を施した見事な脛当を当て、ついで胸のまわりに纏った胸当は、アイアコスの裔なる駿足アキレウスのもので、きらびやかに星形の飾りをあしらってある。肩には銀鋲打った青銅の太刀を、ついで頑丈な大楯を負う。逞しい頭には馬毛の飾りをつけた見事な造りの兜を戴いたが、飾り毛が垂れ靡くさまは見るも恐ろしい。次は掌にぴたりと合う頑丈な槍二振りを手に取った［後略］。

（『イリアス』第一六歌一三〇―一三九行）

『イリアス』でパトロクロスはトロイアの城壁を三度登るが、そのたびにアポロンに打ち返されて終わるとも描写される。ホメロスの言葉は正確には、「パトロクロスは高い城壁の隅に三たび足をかけたが、三たびアポロンは不死の手をのばし、輝く楯を押して突き落とす」（第一六歌七〇二―〇三）である。この城壁は登ることができると、言外にほのめかされている。実際、ハインリヒ・シュリーマンやヴィルヘルム・デルプフェルトやカール・ブレーゲンのような考古学者たちは、ヒサルルック／トロイアを発掘したさい、トロイア第6市の城壁の傾斜のぐあいと石と石の間にある十分な間隔から、少なくともある一か所で城壁を簡単に登れることを発見した。ホメロスの時代には、この城壁はたぶん地表の下深くに埋もれていて、おそらく数百年間見えない状態だっただろう。したがってホメロスの描写は、彼が生きていた当時はとっくに土におおわれていた、青銅器時代の防御壁の正確な記憶のように思われる。しかし、ホメロスは本丸の壁ではなくトロイアの外壁を描写しているようなので、彼の説明にはある程度の混乱がある。

この混乱を最もよく示すのはたぶん、ホメロス自身の時代には武器がすべて鉄製だったという事実にもかかわらず、ホメロスの戦士らがほとんどつねに青銅製の武器を用いることだ。『イリアス』には、鉄製品への言及はほとんどない。このことは、鉄は青銅器時代に知られてはいたものの、希少で貴重であったという事実と一致する。実際、青銅器時代から知られる数少ない鉄製武器のひとつは、ハワード・カーターがツタンカーメン王の墓で見つけた紀元前十四世紀にさかのぼる一本の短剣である。この短剣は、アキレウスがパトロクロスの死を歎きながら手にした鉄の小刀と、ひょっとすると似ていたかもしれない（『イリアス』第一八歌三三—三四行）。

ホメロスの述べるその他の細部では、青銅器時代の品物や慣習が鉄器時代のものとごっちゃになっている。ホメロスの戦士が用いる戦車の車輪に使われたスポークの数や、戦車が馬何頭立てかなど、おもにささいな点である。たとえばミュケナイの竪穴式墳墓で発見された墓標や、ミュケナイの別の墓で発見された黄金の指輪細工などの青銅器時代の描写によると、トロイア戦争の頃の戦車は車輪のスポークが四本、二頭立て、乗ったまま戦う動く台として用いられたことを示す。ところがホメロスの描写では、戦車は車輪のスポークが八本（『イリアス』第五歌七二〇—七二三行）、往々にして四頭の馬に曳かれ、戦士を前線まで連れていく「戦闘用タクシー」として使われ、戦士は徒歩で戦うためにそこで戦車を降りた——これらはすべて鉄器時代の戦車と戦術の特徴として知られ、トロイア戦争のずっと後の年代を示すのである。

同様に、ホメロスの戦士はたいてい槍を二本携えていて、投げて使った（『イリアス』第三歌一六—二〇、第七歌二四四—四八）。これが鉄器時代の普通の戦法であるのに対して、青銅器時代の戦士は一本の長い槍とともに示されるほうが多い。長距離の投擲用ではなく、近距離で敵を突き刺すために使われる槍である。そんな長い槍をホメロスが描写するのはごくまれだ。とはいえホメロスは実際に、ヘクトルが扱う長さ一一腕尺(ペキュス)の槍（『イリアス』第六歌三一八―三二〇行）や、アキレウス所有の一本の長い槍（『イリアス』第二二歌二七三行）に言及しているのである。双方の主要な英雄どうしによる一騎打ちないし決闘にも、ホメロスは頻繁に言及する。個々の戦士たちの、たとえばアイアスとヘクトル（『イリアス』第七歌二二四―二三二行）やアキレウスとヘクトル（『イリアス』第二〇歌と第二二歌）の栄光を高めるためである。密集隊形での歩兵の行進も描写されている（『イリアス』第三歌一―九行）。一騎打ちとこの行進方法はどちらも鉄器時代の戦闘方法であり、青銅器時代の戦闘方法ではないようだ。

さらにホメロスは、後の鉄器時代に現われる武器類についてだけでなく、ミュケナイ時代に特徴的な武器類についても頻繁に話している。彼は黄金の鋲を打った杖（『イリアス』第一歌二四五―四六行）だけでなく、「黄金の鋲がきらきらと輝く」剣（『イリアス』第一一歌二九―三一行）のようなミュケナイの武器も描写している――これは柄(つか)に銀や金の鋲を打った剣で、紀元前十六世紀から同十五世紀のミュケナイの竪穴式墳墓で見つかっている類のものである。さらにアキレウスの新しい楯（『イリアス』第一八歌四七四―六〇七行）も、ミュケナイその他の竪穴式墳墓で見つかった、象嵌装飾付きの短刀に似た方法で作られたものとして描いている。つまり金と銀、そして黒金(ニエロ)として知られる黒いどろどろした物質を、青銅の基部にはめ込む製法である。こうしたものはすべて、青銅器時代独特の工芸品である。なのにホメロスはアキレウスの最初の楯（パトロクロスが戦闘で殺されたときに失われた楯）を、ゴルゴの顔がついたものとしてこう描写する。「精巧な造りで見るからに猛々しい、総身を蔽う大楯を取り上げたが、見事な楯で、……楯の中央には、あたかも全体の要の如く、形相凄まじく睨みつけるゴルゴの首があり、その傍らには「恐怖」と「潰走」も控えている」（『イリアス』第一一歌三二―三七行）。いわゆる紋章付きのそんな楯が一般に使われだしたのは、鉄器時代になってからのことだった。その使用がピークに達するのは紀元前七世紀、ギリシアの重装歩兵が密集陣形をとって戦った時期なのである。

　要するに、トロイア戦争および戦士・装備・戦闘について事細かに歌ったホメロスの口誦には、『イリアス』の現存する版本に描かれたように、青銅器時代と鉄器時代の混淆が含まれているのである。この融合はたぶん、五世紀以上にわたって伝承されていくにつれて元の話に取り込まれた変化を反映するのであろう。それゆえ学者たちは考古学者も古代史家も、エーゲ海域の青銅器時代の再現を試みるさいには、ホメロスがもたらす細部の情報を非常に慎重に用いるのである。実際、トロイア戦争が実際に起こったのか初期の古典学者たちが疑いをいだくようになったのは、ある程度はこの時間の混淆つまり異なる時代の混同のせいなのだ。

　ただし明らかに、正反対の主張も可能である。ホメロスの議論にはたくさんの物と場所についての細目が含まれるが、それらは青銅器時代にしか使われなかったものや、近代の考古学者による二十世紀初頭の発掘開始から初めて見つかった品である。したがって、彼の叙事詩が青銅器時代末期の実際の事件を本当に反映していたとしても驚くにはあたらないだろう。口誦詩人から口誦詩人へと何世紀にもわたる口頭伝承の間に取り込まれた不正確な点や細部が、ホメロスの説明に多少含まれているにしても。

新分析論

しかしながら他にもうひとつ、次のように主張する多くの学者による評価を考える必要がある。それは、『イリアス』『オデュッセイア』「叙事詩の環」には後代の鉄器時代に由来する品目だけでなく、青銅器時代のもっと早い年代、つまりトロイア戦争が起こったと考えられる紀元前十三世紀よりも前の人や場所や事件もあるという主張である。これらの学者は「ドイツ新分析論」として知られる非公式な集団をなし、彼らによれば、ホメロス叙事詩にはそれ以前の叙事詩からのこまごましたエピソードが挿入されているのが見つかるという。

たとえば、トロイアからヘレネを奪回すべく派遣されたアカイア軍の不運な最初の遠征は、『キュプリア』で語られるとおり、アキレウスや他のアカイア軍戦士が、トロイアの南方に広がるアナトリア北西地域のテウトラニアで、実際のトロイア戦争の直前のどこかで戦う結果になったと伝えられている（二つの遠征の間に経過した時間の推定は、古代も現代もたいてい数週間から九年までの幅がある）。新分析論者たちの見解では、この遠征の話はホメロス以前のエピソードの好例であり、先行するもうひとつの「トロイア戦争」への言及である可能性が高いと見られる。彼らの目には、アイアスという人物も櫓のごとき大楯とともに、前の時代とホメロス以前の叙事詩に由来する。同じことはイドメネウスやメリオネスに、そしてオデュッセウスにすら、当てはまるかもしれない。

これも新分析論者と他の学者たちが指摘していることだが、プリアモスの父ラオメドンの時代にギリシアの英雄ヘラクレスがわずか六艘の船を用いてトロイアを奪ったことを、『イリアス』自体が語っている（『イリアス』第五歌六三八―四二行）。「今の世にも語り継がれている豪勇ヘラクレス、不撓不屈で胆獅子の如くであったわたしの父が、どんなお人であったといわれているか、おぬしは知っているのか。父はかつてラオメドンの馬を得るためにこの地に来たが、随う船はたった六艘、その手勢も寡兵であったが、見事にイリオス城を攻め落し、路上に人影を見ぬまでに敵を殲滅した。」（トロイアに対して先に行なわれたこの遠征は、アテナイからさほど遠くないアッティカ沖に浮かぶアイギナ島の、アファイア神殿東破風に描かれている）。船一艘が五〇人乗りとすればわずか三〇〇人だったことになり、これではかなり小さい戦闘部隊だっただろう。しかしながら、後代のギリシア語著述家のアポロドロスとディオドロスが語る別伝によると、ヘラクレスはトロイア襲撃時に、六艘ではなく一八艘の船を指揮下においていたという。これなら九〇〇人の戦士がいるわけで、ずっと手ごわい軍隊だったことになる。

明らかに、ギリシアにはある伝説があった。それは『イリアス』と「叙事詩の環」にさえ反映されている伝説で、ミュケナイの戦士たちは実際のトロイア戦争の前にアナトリア西海岸に踏み込み、数十年かひょっとすると数世紀のあいだ戦っていた、そしてトロイアのほうは、アガメムノンがプリアモスに挑むほぼ一世紀前に、ミュケナイ軍によって攻撃されたかもしれないというものだ。古代史研究者のモーゼス・フィンリーは自著『オデュッセウスの世界』（一九五六年）で、青銅器時代にはたくさんの「トロイア戦争」があったと示唆した。

裁定

私たちに託されているのは、根本的かつ常識的な問いだ。『イリアス』と「叙事詩の環」の事件と筋には真実味があるか？　ホメロスと他の叙事詩人たちが描いたことが実際に、しかも彼らの言うとおりに起こったというのは、妥当か？　ひとりの人間のために一国（もしくは古代におけるその同等のもの）が国を挙げて実際に戦争を始めたのだろうか？　アガメムノンは本当に、弟の妻を取り戻すためにそれほど多くの男たちを招集した「王の中の王」だった可能性があるか？　後期青銅器時代のミュケナイ社会は本当にあのような方法で組織されていたのか？　そして「トロイアの木馬」はどうか――首尾よく戦争を終わらせるために、あんな機械が作られ使われたなんてあり得るのだろうか？

今述べたすべての問いへの答えは、イエスである。たとえば行動や旅、戦闘その他諸々に関するホメロスの叙述は、どれもみな正しいようだし、また、たとえ武具や武器類や戦術が、何世紀にもわたって物語が口述で伝わったことを反映して長期にわたる時代に由来するにせよ、『イリアス』で描かれた事件には真実味がある。しかも青銅器時代のギリシアは実際、基本的に都市国家である多数のポリスに分かれていて、たとえばティリンスやピュロスやミュケナイのような主要ポリスとその周辺地域を、各々の王が支配した。そしてとくに、このポリスに輸入され考古学者が発見した外国製品がポリスの国際的地位を示す指標だとすれば、ミュケナイは他の諸ポリスよりたしかに有力で相互のつながりも強かったようである。

ヘレネ誘拐のせいで実際に戦争が起こったというのは、ありそうにない。都合のよい口実にはなったとしても。真の動機はたぶん政治的かつ商業的なもので、古代世界における大部分のそうした戦争と同じように、領土獲得や利益の上がる交易路の支配だったであろう。とはいえ、ひとりの人間に関わる行為が戦争開始の口実や触媒として使われた例が、後世の歴史にはいくつかある。第一の例は言うまでもなく、第一次世界大戦の始まりとなったフェルディナント大公の暗殺だ。この戦争はたぶんどのみち起こる運命にあったであろうが、暗殺が火付け役を果たした。もうひとつの例はヒッタイト世界に見られる。シュッピルリウマ一世王の息子ザンナンザ王子が、紀元前十四世紀に名称不明のエジプト女王と結婚しに行く途中で正体不明の襲撃者たちによって殺された。父王はこの死をヒッタイト人がエジプト人と戦争を始める口実に用いた――どのみちいずれ行なわれたであろう戦争であり、理由はまたもや領土であって、息子の死とは何の関係もなかった。

「トロイアの木馬」はこの物語の中で最も信じがたい要素のひとつである。しかし、その存在すら説明できる。ざっくばらんに言って、ギリシア人がそんな馬を建造して中に戦士を隠すとは思えない。ましてトロイア人がそれを城内に引き入れるほど愚かだったというのは、もっと考えにくい。ただ、ホメロスと他の口誦詩人たちは詩人だから、いくぶん詩的に話を脚色したと考えられるかもしれない。「トロイアの木馬」がある種の攻城兵器を表わすことは不可能ではない。その実体が、紀元後七四年にローマ人が現イスラエルのマサダを取り巻く城壁を破壊するのに用いたような、巨大な破城槌（はじょうつい）であろうと〔たとえば古代ローマ人の破城槌は「牡羊」と呼ばれ、ギリシア語の「牡羊」にも破城槌の意味がある〕、あるいは、センナケリブ王がニネヴェの宮殿のパネルに描かせた、エルサレムのわずかに南のラキシュで紀元前七〇一年に行なわれた包囲攻撃で、戦士たちが戦闘の拠点とした塔であろうと。これまでになされた提唱のなかには、「トロイアの木馬」はトロイアの町を破壊した地震の比喩である、なぜならポセイドンは地震をつかさどるギリシアの神で、馬がその象徴だから、というものもある。

最後の疑問は、ホメロスが描いたのはひとつのトロイア戦争か、それともいくつかのトロイア戦争かに関係する。ギリシアの叙事詩物語群は、後期青銅器時代の間にミュケナイ人がトロイアとトロアド地方に対して行なった、少なくとも三回の攻撃を記録している。最初はトロイアが破壊されたときのヘラクレスとラオメドン王の時代、次にアガメムノンとその部下によるテウトラニアへの誤った攻撃、そして最後が『イリアス』に描かれたトロイア戦である。このうちどれがホメロスのトロイア戦争なのか？　あるいはどれもみなトロイア戦争なのか？　ホメロスはこれらのエピソードを、一篇の偉大な叙事詩——西アナトリア沿岸で数百年にわたって起こった多数の小さな衝突の象徴的詩的表現——に圧縮したのだろうか？　ギリシアの戦士たちが紀元前十三世紀よりもっと前にアナトリア北西部で、そしておそらくとりわけトロイアで、戦っていたことを示す、考古学的な表徴とテクストの表徴は、実際にはさらにもっとある。

第4章
ヒッタイト文書
——アッシュワ、アッヒヤワ、ウィルサのアラクサンドゥ

ギリシア人はトロイア戦争を記録したが、アナトリア中央部に住んだヒッタイト人もトロイア戦争を記録していた。ヒッタイト人は紀元前一七〇〇年から同一二〇〇年の後期青銅器時代の間、この地域の多くを——トロイアのあるトルコの西海岸から、現在シリアと接している東部にいたるまで幅広く——支配した。ヒッタイト語やアッカド語やその他の同時代の複数の言語でテクストが刻まれた粘土板が、現代の都市アンカラの東一二五マイル（二〇〇キロ）にある首都ハットゥシャでドイツ人考古学者たちによって発見されてきた。

ウィルサ

これらの粘土板のなかには、ウィルサという名でヒッタイト人に知られた都市または地域に

言及するものが多数ある。ウィルサは少なくとも三百年にわたってヒッタイトの支配者たちと頻繁に接触があり、その間、ときにはウィルサの王が傀儡王としてヒッタイト人の意向に沿って統治した時期もあった。現代のほとんどの学者によれば、ウィルサという都市はホメロスや叙事詩人たちが（ウ）イリオス（つまりトロイアのこと）と呼ぶ地と同じ場所の可能性がありそうだ。ヒッタイトの公文書には、後期青銅器時代にこの都市で行なわれた少なくとも四つの戦争の詳細が含まれている。戦争に関係する王たちの名前までわかっていて、紀元前十三世紀初頭の争いに関与したアラクサンドゥという名の王と、そのほんの数十年後に敵勢によって廃位された、ウァルムという別の名の王がその中に含まれる。これらの事件はどちらもホメロスのトロイア戦争と同じ全体的時間周期に起こった事件であり、どちらかもしくは両方ともホメロスのトロイア戦争と関係する可能性がある。

一九一一年に始まり現在まで継続的に多数の学者が提唱していることだが、アラクサンドゥはアレクサンドロスというギリシア語の名前のヒッタイト語バージョンの可能性がきわめて高い。この仮説が正しいとすれば、ヒッタイト人がウィルサのアラクサンドゥと呼んだ男は、イリオス（ウィリオス）／トロイアのアレクサンドロス／パリスとギリシア人が呼んだのと同じ男であると、とりあえず同一視できよう。もしこの二人が同一人物でないとすれば、非常によく似た名前の二人の支配者がアナトリア北西部においてほぼ同じ時に、非常によく似た名前の二つの都市を治めていたということになる。さすがにありそうにない偶然なので、二人を同一人物と見なすのが当然だと言ったほうが理にかなう〔ただし『イリアス』「叙事詩の環」では、パリス自身が王／支配者だったことはない〕。

興味深いことに、ウィルサの王アラクサンドゥと紀元前十三世紀初頭のヒッタイト王ムワッタリ二世が署名した条約のテクストも現存する。ウィルサ／トロイアで行なわれた戦争の直後に署名された条約である。この文書がトロイアで戦われた数多い戦さのどれに言及しているのかわからないので、この文書は、同一人物が両方の文化の文献に関与しているという考えを裏づけるのか、それとも矛盾するのかは定かでない。そこで、ヒッタイトの条約で述べられた戦争が、ホメロスとギリシアの詩人たちが語るトロイア戦争と同じかどうか判定するために、紀元前十三世紀のこの戦争より前の時代にいったんもどった上で、時を先に進めなければならない。たとえ出てくる名前に最初はなじみがないにせよ、私たちはここでヒッタイト史の領域の内にしっかりと立ち入り、利用できる豊富な詳細を手に入れるのである。

アッヒヤワ

最初に考えなければならないのは、ハットゥシャで発見されたざっと二ダースの、アッヒヤワとして知られる国と民に言及するテクストである。アッヒヤワの正体が何か、トロイア戦争との関係はどうかについての学術論争が、すでに一世紀以上も続いている。それはエミール・

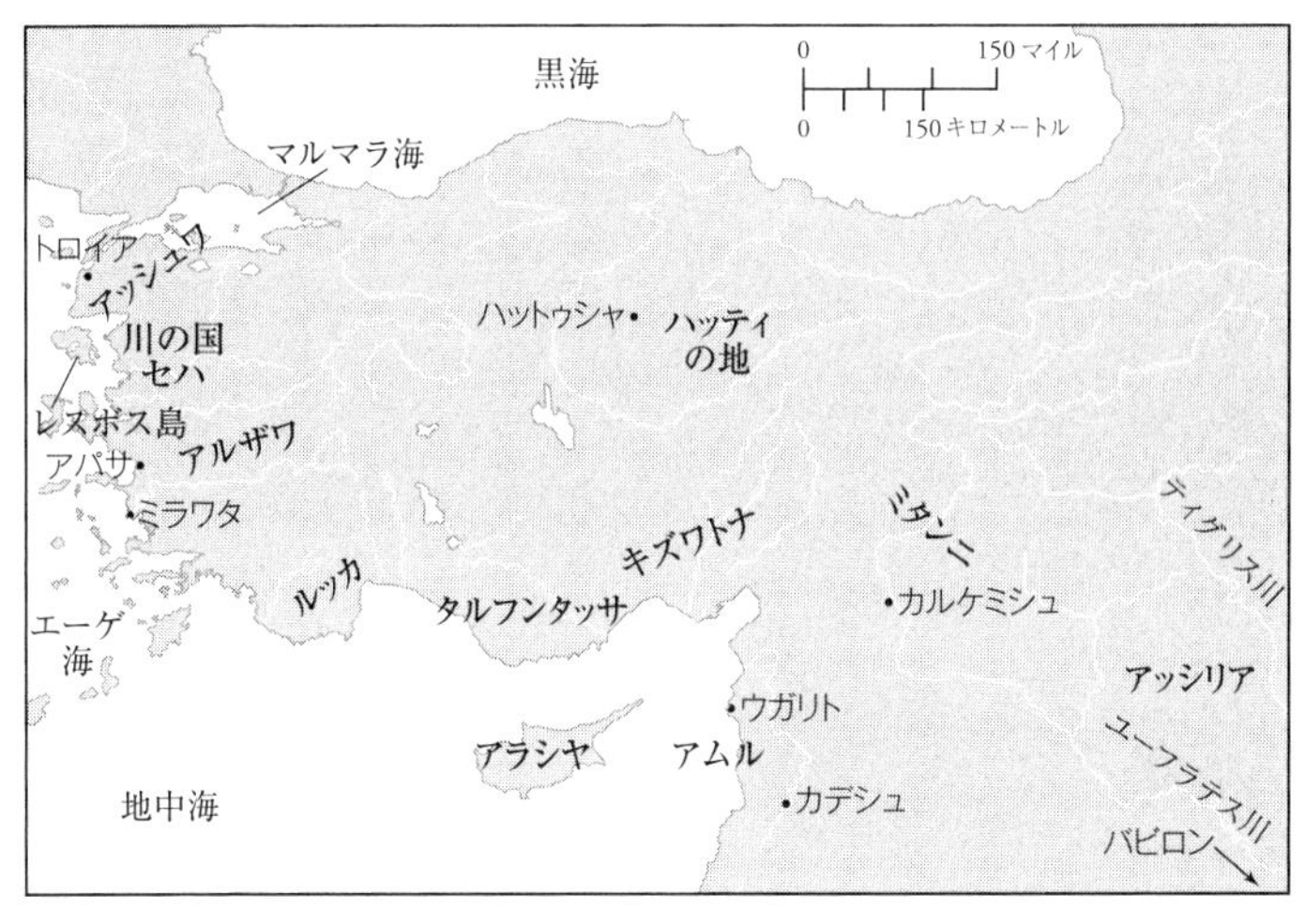

3　紀元前 1500 年―同 1200 年のアナトリア

フォラーというスイス人学者が、アッヒヤワは青銅器時代のミュケナイ人の呼び名だ、ホメロスが（他にも数ある名前のなかでもとくに）アカイア人と呼ぶ人たちの呼び名だと提唱したことから始まった。フォラーはさらに一歩踏み込んで、ヒッタイトのテクストで言及される特定の人々を割り出し、その人たちをホメロスの戦士たちと関連づけた。彼の考えでは、たとえばホメロスの詩に出てくる、アガメムノンとメネラオスの父アトレウスは後述するヒッタイト人のアッタリッシヤ、オイディプスの息子エテオクレスはタワガラワであった。

たちまち他の人たちが割り込んできた。そのうちのひとり、ドイツ人学者のフェルディナント・ゾマーは、当時知られていたアッヒヤワの全テクストを掲載した大部な本を、一九三二年に刊行した。出版の一番の目的は、フォラーの提案の誤りを証明することであった。以来、この論争はいまだに続いている。今では、アッヒヤワをアカイア人（ミュケナイ人）と、つまり十中八九ギリシア本土出身の者たちと見なす点でフォラーが正しかったことが、最も博識な権威筋によって受け入れられている。そうだとすれば、ミュケナイ人が早くも紀元前十五世紀にはアナトリア西海岸での戦闘や紛争に関与したことを示す、テクスト証拠があると言える。

一方、フォラーは間違いでアッヒヤワ人がミュケナイ人でないとなると、エーゲ海の両側に陣どる最も有力な二つの集団であるヒッタイト人とミュケナイ人の間に、どんな形であれ接触があったことを示す、ヒッタイト側の証拠がないことになる。けれども、それは考えにくい。というのはその場合、ヒッタイト語テクストの他の個所には言及がない後期青銅器時代の重要文化（ミュケナイ人）がある一方で、考古学的遺物が一切ないのにテクスト証言は存在する後期青銅器時代の重要な国ないしは王国（アッヒヤワ）があることになるからだ。ほとんどの学者たちが現在認めているように、この両者を単純に同一視するほうがはるかに筋が通っているのである。

マッドゥワッタとアッタリッシヤ

ハットゥシャで発掘されたいわゆるアッヒヤワ文書の最も初期のもののひとつは、ヒッタイト王アルヌワンダ一世の時代から始まる。だが、そこで語られているのは前王の治世下で起こった事件についてである。前の王トゥドハリヤ一世／二世は、紀元前一四五〇年頃―同一四二〇年頃に統治した（国の初期であるこの時代にトゥドハリヤという名の王がひとりしかいなかったのかそれとも二人いたのかは定かでないので、一世／二世という称号になる）。このテクストは、マッドゥワッタという名のヒッタイト人家臣の活動についてなので、「マッドゥワッタの起訴状」として知られる。そこには、ヒッタイト軍とアッタリッシヤという男の直接的な交戦の詳細が記録され、男は「アッヒヤの支配者」（アッヒヤ Ahhiya はアッヒヤワ Ahhiyawa の初期形態）として描かれている。

アッタリッシヤはアナトリア西海岸にやって来てヒッタイト軍と戦ったと、そのテクストは率直かつ単刀直入に述べる。具体的には、アッヒヤワのこの支配者の軍勢との戦闘で、キスナピリという名のヒッタイト人将校が数千人の歩兵と一〇〇台の戦車を率いたと語られる。さらに、どちらかの側の将校がひとり殺されたことがわかるが、正規の歩兵隊や戦車隊の蒙った損失については記述がない。これはホメロスのトロイア戦争の二百年くらい前のことだったのであろう。記された数字を信じるとすれば敵対する両勢力は相当なものであり、ただの小競り合いなどではなく本物の戦争での交戦だった。というのは、一〇〇台の戦車は当時としては大戦力だったからである。

アッシュワの乱

また、考古学者たちがハットゥシャで発見したテクストのなかには、アッシュワとして知られる地域で、つまり北西アナトリア以外ではありえない地域で生じた反乱に言及するものが、おそらく六枚ある。二二の都市国家の同盟で、最終的に「アジア」という現代の地理学上の名称のもとになったアッシュワが、ヒッタイトの記録に現われるのは、おもに紀元前十五世紀後半、先述のヒッタイト王トゥドハリヤ一世／二世の治世下のことである。

当時アッシュワとその王は、この地域ですでに確立されていたヒッタイトの大君主の地位に対して反乱を起こした。アッシュワ同盟を構成する二二のメンバーのうちのひとつがウィルシヤで、これはウィルサ（つまりトロイア／イリオス）の別名として知られている。タルイサと呼ばれる場所もある。タルイサが登場するヒッタイト文書は他に一枚しかないが、ここではウィルシヤのすぐとなりにタルイサが出てくる。タルイサもトロイアのことか、あるいはこちらの可能性のほうが高いが、トロアド地域のことだと示唆されてきた。これが正しければ、興味深いことに、トロアド内の同一地域を表わしながらも明らかに別の名称であるウィルサ／ウィルシヤとタルイサは、イリオスとトロイアという複数の名前をギリシア人がこの同じ地域につけたのとそっくりである。

ヒッタイトの記録とりわけ「トゥドハリヤ年代記」として知られる記録によると、トゥドハリヤ一世／二世は、西海岸かそのすぐ内陸側にあることがわかっているアルザワ、ハッパッラ、川の国セハという西アナトリアの諸国に対して軍事遠征を行なったが、そこから帰国する途上でアッシュワ同盟が反乱を始めた。トゥドハリヤはアッシュワ同盟に対して自ら軍を率い、これを打ち倒した。この年代記の記述によると、アッシュワ兵一万人とアッシュワの御者と馬からなる戦車六〇〇台が、捕虜や戦利品として首都ハットゥシャに連れ帰られた。土地の住民の多くも、家畜と所持品もろとも同じ目に遭ったという。そのなかにはピヤマ・クルンタという名のアッシュワの王や、その息子クックリ、他の王族メンバー数名も含まれていた。

事の次第は完全には明らかでないが、そのときトゥドハリヤはどうやらクックリを父親の代わりにアッシュワの王に任命し、今回はヒッタイト王国の属国としてこの同盟を再建させたようだ。ついでクックリ自身が反逆したが、この二度目の反乱の試みも失敗に終わった。クックリは処刑され、アッシュワ同盟は滅ぼされた。そういうわけでこの同盟はトゥドハリヤ一世／二世の武力介入の結果、かなり短命だったようで、主として紀元前十五世紀に存在したと思われる。

さらに二つの点がここで関わってくる。まず一振りの青銅の剣を、一九九一年に都ハットゥシャで、この古代遺跡に通じる道路の改修作業をしていたブルドーザー運転手がたまたま見つけた。この剣には文が一行、当時の共通語だったアッカド語で刻まれている。翻訳すると、

「大王トゥドハリヤはアッシュワ国を滅ぼせしゆえ、彼の主なる嵐の神にこれらの剣を奉納せり」と読める。

刀身にこんな文が刻まれたのは戦勝後だろうから、この剣は明らかに、トゥドハリヤがアッシュワを打ち負かした後に奪い、奉納したものだ。また、「これらの剣」が奉納されたという以上、もともと二振り以上の剣が奉納されたことも明らかである。しかしながら最も重要なのは、この剣が当時アナトリアの人間が使っていた種類の剣ではなく、紀元前十五世紀末期にとくにギリシア本土のミュケナイ人が製作し使用したタイプの剣らしいことである。アッシュワの乱の間にそれが使われ奪われたという事実から、この戦いではミュケナイ人自らもヒッタイト人相手に戦っていたか、あるいはミュケナイ人がアッシュワ同盟に武器を供給ないしは直接支援していたことになる。この剣は、ミュケナイがトロイア周辺地域で行なわれた戦いに関与したことを示す——文書証拠とは対照的な——物的証拠の唯一無二の例である。ホメロスのトロイア戦争として通常想定されるよりも、ゆうに二世紀も早い年代でのことだ。

ウィルサとアッヒヤワ

加えて、この同盟に属する都市国家が少なくともひとつ、とりわけウィルサ／ウィルシヤは、さらにもう二世紀の間、存続し続けた。ウィルサはその間、ヒッタイト人と交流があっただけでなく、アッヒヤワ出身の特定の個人はもちろん、アッヒヤワとして知られる政体とも明らかに関わりを持った。というのは、アッヒヤワやアッヒヤワ人に言及していることが知られる二八枚のヒッタイト文書のうち、とくにウィルサとの関係でアッヒヤワ人の活動を論じているものが数枚あるからだ。大部分の学者がもっか賛同しているように、アッヒヤワ人とミュケナイ人を同一視することが正しければ、紀元前十五世紀から同十三世紀までミュケナイ人が都市国家ウィルサ（トロイア）の問題に関わり、この国のために戦ったことを示す文書による証拠があることになる。

たとえば、ミュケナイ人がアッシュワの乱でウィルサに加担したことが、ずっと後代のアッヒヤワのテクストで詳細に示されている可能性がある。そのテクストとは、紀元前十三世紀初期にアッヒヤワの王がヒッタイトの王おそらくムワッタリ二世に送った書簡のヒッタイト語訳である。ムワッタリがだいたい紀元前一二九五年から同一二七二年まで統治したことは知られている。書簡の一部はずっと昔のできごとに関するもので、ムワッタリがアッヒヤワの王に送った書簡だと最近まで考えられていたが、今ではこの書簡が逆方向に送られたことがわかっている。よって、アッヒヤワの王がヒッタイト王宛てに送った、きわめて数少ない書簡のひとつである。

この書簡で論じられる主要な話題は、アナトリアのエーゲ海沿岸沖にある島々の所有権で、島々は以前はアッヒヤワの王の領土だったが、どうやらヒッタイトに奪取されたらしい。書簡の中で、トゥドハリヤという名のヒッタイト王が過去のある時にアッシュワの王を破って支配下に置いたことが語られる。これは先の「トゥドハリヤ年代記」に見られる説明と一致し、まぎれもなくアッシュワの乱への言及であるから、この書簡が約百五十年前に起こった事件に言及していることがわかる。

書簡は損傷を受けて不完全だが、新しい翻訳に基づくとどうやら、当時のアッヒヤワの王の曽祖父とアッシュワの王女が、アッシュワの乱よりも前のある時点で政略結婚し、アッシュワの王はこの島々を持参金の一部としてアッヒヤワの王に譲渡したらしい。ヒッタイト人のほうは、トゥドハリヤが反乱の間にアッシュワに勝ったことでアッシュワの沖合の領土の所有権はヒッタイト人のものになったと主張したが、書簡執筆者たる当時のアッヒヤワの王によると、ヒッタイト人が勝ったのは、この領土がすでにアッヒヤワに贈与された後のことにすぎない。アッヒヤワの王はこの島々に対する自身の所有権を、一世紀半も後のことではあるが、このとき外交手段を用いて再確認しようとしていたのである。

この書簡の新たな翻訳が示すのは、紀元前十五世紀にはアッヒヤワ人とアッシュワ人のあいだに良好な関係があって、またきわめて興味深いことに、彼らの間にどうやら政略結婚があったらしいことである。アッヒヤワ人とミュケナイ人を同一と見なし、トロイア（ウィルサ）人をアッシュワ同盟の一部と見なすのが正しいとすれば、この二つの地域の婚姻その他の関係が、アレクサンドロス／パリスとヘレネの不倫行為と推定される時期よりも何世紀も前に始まっていることが、この文書でよくわかる。この書簡は、以前の翻訳が考えようによっては示唆したような、ミュケナイ人がアッシュワの反乱に引き込まれたことを間違いなく示しているとは言えないが、ハットゥシャで見つかった銘入りの剣のほうは、ミュケナイ人とトロイア人が何らかの関わりをもったことと、同盟関係にあった両者が敗北を喫したことを、確かにほのめかしているのである。

西アナトリア沿岸で発見された土器などの工芸品はもちろんのこと、追加されるアッヒヤワ文書もまた、ミュケナイ人が紀元前十四世紀に継続的にこの地域に関与したことを示す。とくにウィルサに関連するもうひとつの文書群は、紀元前十三世紀の初頭と中葉の、つまりだいたいホメロスのトロイア戦争の頃のものである。

「アラクサンドゥ条約」その他のヒッタイト文書

これらの文書のうち最初のものは、あるヒッタイト王（おそらくムワッタリ二世）に送られた。差出人は、トロアド地域の真南にある西アナトリアの川の国セハの王、マナパ・タルフンタである。この書簡は主としてヒッタイト人熟練工集団の逃亡に関するものだが、ヒッタイトがウィルサに対して行なった襲撃についてとくにこう述べている。「貴殿の僕たるマナパ・タルフンタ［がかく申し上げます］、［わが陛下に］奏上します。［時下］［当地では］万事良好です。［カッスが］ハッティの軍隊を（こちらに）連れてまいりました。そして彼らがウィルサを攻撃するために戻った［とき、］［私は］病を得ておりました。」〔ハッティはヒッタイトのこと、カッスはヒッタイト軍の将軍〕

ムワッタリとヒッタイト軍がなぜこの紀元前十三世紀初頭の時期にウィルサを攻撃したのかは、わからない。ただし、その後にムワッタリがウィルサのアラクサンドゥとともに作成・署名した、一般に前一二八〇年頃のものとされる条約から、ヒッタイト人がその後、アッシュワの乱の直後にまさにしたように、ウィルサ市とその地域の支配権を主張したことが明らかになる。

このいわゆる「アラクサンドゥ条約」は、ウィルサとヒッタイト人の間の防衛同盟の要点を述べる。ムワッタリはこう書いている。「アラクサンドゥ殿、貴殿は慈愛をもって余を守れ。そして後々、わが息子と孫息子を、最初の世代と二番目の世代まで守れ。そして王たる余は、アラクサンドゥ殿、貴殿の父の言葉ゆえに友好の印として貴殿を守り、貴殿の援助に来、貴殿のために敵を亡きものにした。わが息子や孫息子らはそのように将来、貴殿のために貴殿の子孫を最初の世代と二番目の世代まで、かならずや守るであろう。もし貴殿に敵が生じたとしても、余がこれまで貴殿を見捨てたことがなかったように、貴殿を見捨てることはない。余は貴殿のために貴殿の敵を殺すであろう。」

最も興味深いのは条約のこの部分である。というのはここで、ムワッタリが自らの治世（紀元前一二九五年—同一二七二年）の初期のある時点で、アラクサンドゥの援助にやって来て敵を殺害したと、自ら語っているからである。ムワッタリが自分も相手方も知っている最新情報を誤って述べたり、記憶違いをしたりするわけはないから、これはおそらく正確な情報だと結論づけてよかろう。ただ、問題は、アラクサンドゥの敵の正体である。その名前と国籍は——いらだたしいほど——わからない。この事件をめぐる状況についてのそれ以上の情報も告げられない。代わりにムワッタリは、彼らが結んだ相互防衛協定のことを繰り返し語り続ける。

要するに私たちは、ウィルサの王アラクサンドゥが紀元前一二八〇年の直前のどこかの時点で戦った、少なくとも二つの争いの証拠をヒッタイト文書から得ている。そのひとつでアラクサンドゥは、相手の正体は不明ながら勝利をおさめたが、ただしムワッタリとヒッタイト軍の応援あってのことだった。これはおおよそホメロスのトロイア戦争あたりの時代のことだが、この争いにおける敵側がミュケナイ人だったとちゃんとわかっているわけではない。もうひとつの戦いでは、彼はヒッタイトに敗れ、条約に署名せざるをえなかった。どちらの事件も『イリアス』や「叙事詩の環」で語られる話とは一致しない。そういうわけで、ウィルサのアラクサンドゥをイリオス（ウィリオス）／トロイアのアレクサンドロスと結びつけることがどれほど心をそそるものであろうと、ホメロスが細部についてはなはだしく思い違いをしたと仮定しない限り、これらの争いや条約をホメロスのトロイア戦争に疑いの余地なく結びつけるわけにはいかないのである。

タワガラワ書簡

ウィルサと関係のあるさらにもう二篇のアッヒヤワ文書のうち、いわゆる「タワガラワ書簡」はかなり興味深い。この書簡はハッティの王、おそらくハットゥシリ三世という紀元前一二六七年頃―同一二三七年頃に統治した王によって書かれたものと考えられているが、ことによるともう少し前に統治したムワッタリ二世のものかもしれない。現存するのはこの書簡の三枚目で、おそらく最後のページにあたる粘土板だけである。この粘土板は、アッヒヤワに積極的に関与した「ヒッタイト人反逆者」ピヤマラドゥの活動に関係している。この書簡はアッヒヤワの王の名を出さず、王の兄弟であるタワガラワという名を告げている。どうやらタワガラワ本人は西アナトリアにいて、地元の反逆者たちをアッヒヤワの領土に送り込む手助けをしていたようだ。フォラーを嚆矢とする多数の学者のこれまでの提唱によると、タワガラワはギリシアのエテオクレスという名――ミュケナイ・ギリシア語 E-te-wo-ke-le-we――をヒッタイト語で表わしたものかもしれないという。

この書簡の中でヒッタイトの王は、アッヒヤワの王を誘導して、誰か（たぶんピヤマラドゥ）に特定の話題を伝えさせようと（あるいは粘土板に書かせようと）する。ヒッタイトの王はかなり具体的にこう述べる。「わが兄弟よ、少なくとも次に言うこのことを、彼に書き送りなさい。『ハッティの王はウィルサの地の問題について、もう私を説き伏せた。王と私はこの問題に関して以前は互いに敵対していたが、和解が成った。今や（?·）、われらに敵意はふさわしくない。』［彼にこれを送りなさい］。」その数行後にヒッタイト王は、もう一度こう言う。「かつてわれらがそのことで敵対していた［ウィルサの］問題に関しては――［もう和解したのだから］、で、どうか?·」

これは、従来翻訳された数少ないヒッタイト文書のうちのひとつで、トゥドハリヤ一世／二世の時代以来初となる文書でもある。その文書には、ハッティとアッヒヤワの争いへの具体的な言及がある。「アラクサンドゥ条約」の中にさえアラクサンドゥの敵対者の名はなく、敵対者はアッヒヤワ人ではないかもしれない。そして、「タワガラワ書簡」に記された争いの規模はわからない。クイーンズランド大学のトレヴァー　ブリスは、このテクストで使われたヒッタイト語の単語は「全面戦争から一つか二つの小競り合い、あるいは複数の外交ルートを通じて行なわれたただの口論までの、どの意味にでも翻訳できる」と指摘する。ではあるがこれは、『イリアス』に描かれた事件が起こりつつあった頃にヒッタイト人とアッヒヤワ人（つまりミュケナイ人）の間で、もうひとつ別の敵対的なやりとりがあったことを示す証拠かもしれない。

ウィルサのウァルム

最後に、この話題に関連する最後のテクスト資料は、おそらく紀元前十三世紀末期に書かれた書簡である。これを書いたのは最後のヒッタイト王のひとり、紀元前一二三七年頃―同一二〇九年頃に統治したトゥドハリヤ四世である。これが「ミラワタ書簡」として知られるのは、この書簡がピヤマラドゥのあいかわらずの活動だけでなく、おもにミラワタ（ミレトス）という都市への関心を伝えているからである（表1参照）。

この書簡の中でヒッタイト王は、ウァルムという名のウィルサの王が、かつて名称不明のある勢力によって祖国から追放されたことがあったが、おそらく軍事的傀儡として復位することになったことに言及している。「さあわが子よ、汝が王たる余の健康を気づかう限り、王たる余は汝の善意に信を寄せるであろう。さあ、余にウァルムを委ねよ、わが子よ、そうすれば彼をウィルサの国王に復位させてやろう。さあ、かつてのように彼をウィルサの国王に［するのだ］。さあ、かつてそう［だった］ように彼をわれらの軍事的傀儡にするのだ。」明らかに、アラクサンドゥの署名入りの条約はまだ有効だった。なぜならヒッタイト人はかつて、アラクサンドゥの次の世代とその次の世代までの子孫を援助すると誓言したからだ。ウィルサの王は、この最後の争いの間に反乱勢力から襲撃を受け、その結果王位を失い、結局ヒッタイト人に王位を回復してもらった。まさにこの戦いが、トロイア人のかつての敗戦をホメロスがのちに知る

事件	ウィルサの支配者	ヒッタイトの王	およその年代	結果
アッシュワの乱、二段階	ピヤマ・クルンタと息子のクックリ	トゥドハリヤ一世／二世	前 1430–1420	ハットゥシャへの追放（父親）と処刑（息子）
まず敵に攻撃され、次にヒッタイトに攻撃される	アラクサンドゥ	ムワッタリ二世	前 1280	ヒッタイトから援助を受けたのち打倒される
ヒッタイトとアッヒヤワの間でのウィルサをめぐる衝突	？？	ハットゥシリ三世	前 1267–1237	解決
敵軍による攻撃	ウァルム	トゥドハリヤ四世	前 1237–1209	敵によって退位させられたが、その後ヒッタイトによって復位

表1　ヒッタイトの記録からわかるトロイア（ウィルサ）の戦争

一因になったとも推測される。

「ウィルサの歌」？

ホメロスとヒッタイト人について言うと、一九八四年にブリンマー大学で開催された「トロイアとトロイア戦争」に関する会議で、ハーヴァード大学のカルヴァート・ワトキンスが次のことを初めて提唱した。ワトキンスは、けだし『ウィルサの歌（ウィルシアド）』と彼が呼ぶものの名残が、他の何らかのヒッタイト文書に含まれているかもしれないと示唆したのであった。彼の仮説によると、『ウィルサの歌』候補はトロイア戦争についてのもうひとつの歴史的叙事詩で、ただし、ギリシア人側からでなくトロイア人かヒッタイト人の観点から書かれたものだったであろう。

『ウィルサの歌』はルウィ語という、当時はアナトリアのいたるところで話された言語ないし方言で書かれたはずだが、それらしき詩行はわずか二行しか残っていない。そのうち一行はヒッタイトの典礼書のテクストに挿入され引用されたもので、「[そして彼らは歌う、]険しいウィルサから彼らがやってきたとき」とごくすんなり読める。この言葉はホメロスを思い出させる。ホメロスは『イリアス』中でトロイアを、「険しいイリオス」と六回も呼んでいる。もう一行は別のヒッタイト文書に挿入されているのが見つかったもので、再構成すると「その男が険しい[ウィルサ]からやってきたとき」と読める可能性がある。

残念ながら、有望な詩行はもっかのところは、この二行しかない。しかし、さらなるヒッタイト語粘土板が現在、ヨーロッパ中とアメリカのコレクションのなかで未解読のまま、学者による翻訳を待っている以上、この状況が変わることもあるだろう。

推論

ウィルサとイリオス(ウィリオス)/トロイアの同一視や、アッヒヤワとアカイア人/ミュケナイ人の同一視、アラクサンドゥとアレクサンドロス/パリスの同一視といった、これまで述べてきた多くの提唱は、学究的推論に基づいている。程度の差はあれ、みな妥当と思われ、なかには、結果的に一世紀以上も学者たちが議論を重ねたものもある。完全に不可能な推論はひとつもなく、一部のものは実際、可能性が高いと思われる。言うまでもないが、もし結局すべて誤りだと判明すると、まだ可能性があるとして提示できる実物は私たちに何も残らないことになる。とはいえ、学者の大多数はこれまでのところ、先に述べた同一視の一部あるいはすべてに、とくにアッヒヤワとアカイア人の相関関係に、賛意を示している。そのおかげで私たちは、数次にわたるトロイア戦争がありえたことを示唆する文書証拠として、ヒッタイト文書を用いることができるのである。

それでは、ヒッタイト文書に記録されたこの四回かそれ以上の争いのうちのどれが、ホメロスのトロイア戦争なのか？　どれもそうなのか？　これらの戦争のうちの少なくとも二回、そしてひょっとすると全部に、ミュケナイ人（アッヒヤワ）がある程度関与したと思われる。しかしながら現時点では、もしあるとしても、これらの争いのうちのどれが、ホメロスや叙事詩人たちが記録したようなトロイア戦争なのかは、確証がない。あるいはギリシアの詩歌が、ヒッタイト人とアッヒヤワ（ミュケナイ人）間の、何百年にもわたって断続的に戦争があったらしい争いの年月を反映したものかどうか――「すべての戦争を終わらせるための戦争」〔第一次世界大戦時に流布した言葉〕についての一連の詩歌のなかに、無数のできごとを圧縮したものかどうか――は、はっきりとはわからないのである。

まだ結論が出ていない以上、数度の襲撃を示す考古学的証拠を調べなければならない。古代トロイアとされる都市ヒサルルックは、数度の襲撃の結果、青銅器時代に破壊された。ヒサルルックの古い丘の内部には、ひとつの都市が別の都市の上に位置するかたちで九つの都市がある。ゆえにここでもまた、もしあるとすればどの都市が『イリアス』に記録されたような、愛と戦争の大叙事詩においてホメロスが不滅のものにした都市であったかを、私たちは考えなければならないのである。

第Ⅲ部　考古学的証拠を精査する

第5章
初期の発掘者たち
――ハインリヒ・シュリーマンとヴィルヘルム・デルプフェルト

トロイア探求の物語は、不正確な言い方とはいえ、よく「ミュケナイ考古学の父」と呼ばれる、十九世紀の実業家ハインリヒ・シュリーマンの物語と密接に結びついている。シュリーマンは、過去、土に鋤を入れた人のなかでも最も幸運な人のひとりで、自力で出世したドイツ人大富豪だった。彼の生涯はサクセス・ストーリーだ。というのは、彼は独学の「アマチュアの」考古学者として、十中八九、古代のトロイアであると現在ほとんどの学者が合意する遺跡で、初めて包括的に発掘したからである。彼は大きな困難をものともせず、そして、トロイア戦争は起こらなかったのだから古代トロイアなどという場所はないと確信していた、当時のほとんどの学者たちの一般的な見方に逆らって、これを行なったのである。シュリーマンはアガメムノンとその軍勢を探し求めて、ギリシア本土のミュケナイとティリンスの遺跡の発掘にも成功した。

しかし最近の研究によれば、どうやらシュリーマンは、発掘日誌を偽造し、職業生活や私生活の細部についてかならずしも信を置けない、悪党でもあったようだ。たとえば考古学では、ヒサルルック——古代のトロイア——の遺跡に導いてくれたフランク・カルヴァートの功績を、彼は認めなかった。加えて「プリアモスの財宝」を発見したという報告は、シュリーマンの完全な捏造の可能性がある。「プリアモスの財宝」はプリアモスのものでもなければ、本来、財宝でもない。それどころか、トロイア戦争よりも一千年は前の貴重な工芸品のコレクションなのである。

シュリーマンの探求

大富豪となったシュリーマンは四十五歳くらいで事業から引退すると、トロイアの探求を始めた。彼の主張によると、七歳の時以来ほぼずっと、探求の開始とトロイア戦争があったことの証明を待ち望んでいたのだという。自著『イリオス——トロイア人の都市と国』(一八八一年)の序論で彼は、一八二九年にクリスマスの贈物として父親からもらった本の中で、アエネアスが老父を背負い幼い息子の手を引いて、燃えさかるトロイアの町から逃げていく木版画を見たことを語っている。

シュリーマンは父に言った、この話は起こったはずだよ、それに、トロイアも存在したはずだよ、そうでなきゃ、どうやって絵を彫ったらいいのかこの画家はわからなかっただろうからね、と（いかにも七歳の子供らしい論理と根拠である）。それから彼は、おとなになったらトロイアを見つけるんだ、と父に告げた。これはすばらしい自叙伝的物語で、シュリーマンについて今でも頻繁に語られる。残念ながら、こんなできごとはまずなかっただろう。シュリーマンの個人的な日誌や他の書物の序文を含めて、彼の書いたもののどこにもこの話は出てこない。これは、すでにトロイアを発見し、トロイア戦争は実際に起こったと世界に公表した後になって、初めて出てきた話なのだ。シュリーマンは人生のずっと後になってから、彼自身にしかわからない理由からこの話をでっち上げたというのが、学者たちのほぼ一致した現在の意見である。

シュリーマンは成功した実業家として財を成した。クリミア半島でインディゴや茶、コーヒー、砂糖を売って大金を稼ぎ、カリフォルニアのゴールド・ラッシュの間の一八五一—五二年にも大成功した。カリフォルニアでは、サクラメントで銀行家／仲買人として、鉱山労働者から砂金を買い、サンフランシスコの代理店経由で銀行家一族のロスチャイルド家に売ったのだ。安く買い、高価で売った——しかも、彼はその間ごまかし続けて利益を手にしたと言う人もいる。彼がおそらく二百万ドルもの利益を携え、出荷中の砂金の額をめぐる容疑のさなか、法律に一歩先んじてカリフォルニアを去ったのも、もっともなことである。

シュリーマンは終生日誌をつけており、一八五一—五二年に合衆国にいた時も例外ではなかった。シュリーマンにとってはあいにく、この時期のいくつかの事項から、彼が私的に書いたものでさえ信用できないことがわかる。たとえば、シュリーマンが目撃したことになっている一八五一年六月のサンフランシスコ大火災の証言はきわめて疑わしい。というのは、この火災はじつは一か月前の五月に起こり、その当時シュリーマンはサンフランシスコでなくサクラメントにいたらしいのだ。カリフォルニア大学デイヴィス校教授のデイヴィッド・トレイルが解明したおかげで今や明らかになっていることだが、シュリーマンはサクラメント・デイリー・ユニオン紙の第一面の記事を日誌に丸写しし、その中に自分自身を挿入して話をちょっと変えたのであった。

さらに追加される他の「でっちあげエピソード群」——こう名づけたのはイリノイ大学のウィリアム・カルダー三世である——には、おそらく一八五一年二月の事項が含まれるだろう。シュリーマンの記録によると、その時彼はワシントンDCにいてとある豪華なレセプションの間にミラード・フィルモア大統領と一時間半話していたことになっている。カルダーもトレイルも指摘しているように、まったく不可能というわけではないものの、大統領が二十八歳の無名のドイツ人に会ったなど、たとえシュリーマンのように流暢に英語を話す人物だとしても、考えにくいことである。この話はサンフランシスコの火災と同じく、たぶんシュリーマンが新聞記事の抜粋に自分を加えたのであろう。

一八五一年にサンフランシスコに住んでいる間に、シュリーマンはアメリカ合衆国の市民権を申請する意志があるという書類を提出した。ただし、彼が最終的に実際に申請したのは二十年近く後、一八六九年三月下旬にニューヨーク市に到着したときのことであった。といってもシュリーマンは市民権を得るには、ジョン・ボランという名の男を丸め込んで、自分が過去五年間にわたり継続的に合衆国に住み、少なくとも一年間はニューヨーク州に住んでいたと、宣言してもらわなくてはならなかった。どちらも本当のことではなかったが。ボランは偽証しなければならなかったが、効き目があった。シュリーマンが市民権を得たのは、ニューヨーク到着のわずか二日後のことであった。

数日後の一八六九年四月初旬、シュリーマンはインディアナに向かった。インディアナでは当時、どの州よりも離婚法が寛大だった。その地で彼はドイツにいる最初の妻エカテリーナとの離婚を申請したが、彼女との間の三人の子供のうち二人が子供時代を生き延びていた。六月末の時点でインディアナに丸三か月間住んでいた彼は、この州に一年間居住するという前提条件にもかかわらず、離婚判決を受け取った。ニューヨークでしたのと同じように、誰かそういう趣旨の証言をしてくれる人を見つけた可能性が非常に高い。

その間にも、シュリーマンは古代トロイアの遺跡発見とトロイア戦争が起きた証明にすでに生涯を賭け始めていた。一年前の一八六八年にはイタカを、次いでギリシアのミュケナイを訪れ、しかるのちトルコにやってきた。そのトルコで、トロイアのあった場所として他の多くの人たちが当時支持した古代の丘——プナルバシュやバッル・ダーとして知られる遺跡など——

をいくつか訪れて無駄足を踏んだ末に、シュリーマンはフランク・カルヴァートという名の在トルコ・アメリカ領事館の副領事と親しくなった。カルヴァートは、自分はもうトロイアを発見したと信じていた。実際、彼はこの古代遺跡――ヒサルルックと呼ばれる丘――の一部を購入して、試掘溝を二、三すでに掘っていた。ヒサルルックに青銅器時代のトロイアの遺構が含まれるかもしれないと考えたのは、カルヴァートが最初では決してなかった。初めて提唱したのはどうやら一八二二年、シュリーマンが生まれた年までさかのぼり、チャールズ・マクラーレンという、いくつかの地学学会の会員でもあったスコットランド人ジャーナリストが出版した本だったようだ。カルヴァートはシュリーマンに協力すると申し出た。それはシュリーマンには願ってもない申し出だった。というのは、彼には金はあったが遺跡がなかったのに対して、カルヴァートには遺跡はあったが金がなかったからである。有意義な協力関係になることが期待できた。

合衆国から戻った直後の一八六九年九月、正統的ではない上おそらく違法な手段で、アメリカ市民権と離婚を手に入れたほんの数か月後のことだが、シュリーマンはアテネでソフィア・エンガストロメノスと結婚した。新郎四十七歳、新婦十六歳。子供は二人生まれ、アンドロマケ〔ヘクトルの妻の名〕とアガメムノンと名づけられたが、これは後々の話である。

一八七〇年四月、シュリーマンはトルコ当局からまだ発掘許可証を受け取っていない事実を無視して、ヒサルルックで発掘を開始した。一八七一年にもう一度この場所を掘ったが、この丘で大胆きわまる取り組みを始めたのは、一八七二年になってからのことだった。シュリーマンはこの古代の丘陵のちょうど真ん中を貫通する、深さ約四五フィート〔一三・七メートル〕の巨大な試掘坑を切り開くと、作業員たちにできるだけ速く、できるだけ深く掘らせた。三千年前の都市ははるか下のほうに埋もれているものと思っていたからである。彼と作業員たちは古代の居住地の層を、まず一つ、次に二つ、それから三つの都市と、何層も切り開いていった。最終的に、建築家のヴィルヘルム・デルプフェルト――彼を雇い入れたのは十年後のことだった――の助力を得て、シュリーマンは、次々に上へ積み重なる多数の都市からなる遺物を確認した。彼の考えでは都市は六つ、いや、ひょっとすると七つあった。この遺跡で一世紀以上も発掘が続けられた現在では、実際には全部で九つの都市があり、それぞれに付随する下位の相や改築があったことは明らかである。シュリーマンにもデルプフェルトにも当時は、それほど多くの層があることはわからなかったのである。

トロイア第2市と「プリアモスの財宝」

シュリーマンは、自分が「焼壊した都市」と呼ぶものがプリアモスのトロイアだと確信していた。最初のうち彼には、プリアモスのトロイアがこの遺跡に建てられた二番目の都市――現在はトロイア第2市として知られている――か、それとも三番目の都市か、はっきりしなかった。シュリーマンは二番目の都市だと当初は思ったが、カルヴァートらに説得されて、自著『イリオス』（一八八一年）では終始誤ってそれを三番目の都市と見なした。そもそも彼が正しかったということをちょうど一年後の一八八二年に彼に示したのは、デルプフェルトだった。つまりそれは実際のところ、三番目ではなく二番目の都市だったのである。シュリーマンは第2市とか第3市といったレッテルはどうあれ、ミュケナイ人が陥落に十年かかり木馬の計略を用いた都市はこれだと感じた。シュリーマンは、「プリアモスの財宝」を発見した一八七三年の発掘から、自分の特定が正しかったという確信を強めたのだった。

シュリーマン自身の説明によると、「プリアモスの財宝」は次のようにして発見された。彼は五月末のある朝、作業員全員を監視しながら掘削穴の周りを歩き回っていると、作業員のひとりが大きな銅の物体を掘り当て、その陰に金がきらめいているのをたまたま目にした。シュリーマンはとっさに、「朝食の時間だ」と作業員たちに告げた。朝食時はまだずいぶん先だったのだが。そして彼らが食事をしている間に、妻を呼び寄せて「大きなナイフでその財宝を切り離した」のだった（図4参照）。

シュリーマンは、自分とソフィアは青銅や銀や金の容器や宝飾品などの工芸品を含めたさまざまなものを掘り出したと伝える。シュリーマンによると、二人は身の危険をおかして掘り出したそうだ。というのは、土を積み上げた高い土手が頭上にそそり立っていたので、土の塊がいつ何どき崩れ落ちてくるかわからなかったからだ。ソフィアは比較的小さいものをまとめて

4 「プリアモスの財宝」の数々はトロイアで発見されたあと、ハインリヒ・シュリーマンによって展示された。それらは最終的に、後期青銅器時代のものでなく前期青銅器時代のものだとわかり、プリアモスのものにしては千年以上早すぎた。

エプロンかショールの下に入れて家の中に運び、シュリーマンが比較的大きいものを持って後に続いた。

二人は家に入ると、財宝をにわか作りの一覧表にまとめた。そこには銅の楯や壺、金や銀あるいは琥珀（こはく）の容器、槍の穂先一三本、戦斧一四本、短剣、剣、その他の銅か青銅の品があった。多数の金製品もあり、そのなかには帯状髪飾り（ダイアデム）二点、ヘッドバンド一本、耳飾り六〇個、細々とした装飾品およそ九〇〇〇個が含まれた。しかるのち彼らはそれらすべてをいくつかの大きな木箱に梱包し、トルコからエーゲ海を越えてアテネの自宅まで密輸する手筈を整えた。彼らも財宝も無事にギリシアに着くと、シュリーマンは妻を黄金の装飾品で飾り立てて写真を撮った。プリアモスの財宝を発見したと世に公表する前のことである（図5参照）。

シュリーマンが私生活の点で信用できないことを知れば、彼の仕事とくに発掘日誌に記録された詳細情報を、額面どおり受け取らないほうがよさそうだという危険信号を感じる。この財宝の発見についてシュリーマンが行なった説明に多くの問題点があることは、今では明らかである。何よりもまず、財宝が発見されたとシュリーマンが言っているその日に、ソフィアがトロイアにいさえしなかったという事実である。そのときソフィアはアテネにいたと、彼自身の日記に記録してあるのだ。後年、彼はだいたいは認めて言った。自分の人生に彼女をどうしても関わらせたくて話の中に彼女のことを書いた、そう書けば、自分が人生の情熱を傾けているものに彼女がもっと興味を持ってくれるだろうと思ったのだ、と。

5　ソフィア・シュリーマン。「プリアモスの財宝」の中の宝飾品を身に着けてアテネでお披露目した。

より最近は、この財宝が学術調査の的になっている。これがプリアモスの財宝でありえないことは明々白々だ。なぜならシュリーマンはその発掘地点を「焼壊した都市」つまり第2市の内部としたが、今ではこの第2市が紀元前二三〇〇年頃のものであることがわかっている。実際、この「財宝」に見られる品々は、東はメソポタミア（現在のイラク）のウルのいわゆる「死の穴」から、西はエーゲ海に浮かぶレムノス島のポリオクニ遺跡まで、広大な地域のいたるところで見られる他の宝飾品と見た目がじつによく似ており、それらはすべて、紀元前三千年紀中葉を過ぎたあたりのほぼ同時期までさかのぼる。そして、プリアモスやヘレネなど、誰であれトロイア戦争に関わった人物のものにしては、千年以上も昔すぎるのである。

そのうえ多くの学者は、発見の話全体がシュリーマンの捏造であると確信している――ソフィアが遺跡にいなかったときにいたことにしただけでなく、そもそも財宝の存在そのものが彼の創作であると。シュリーマンがこれらをすべて実際にトロイアで見つけたことには疑いの余地がほとんどないとはいえ、全部いっしょに見つけたわけではない可能性が高い。むしろ、彼は発掘シーズンの間じゅう、遺跡のいたるところで比較的小さいものを発見し続けたかもしれないが、世界があっと驚くほど大きなひとつの「財宝」となるくらいにたまるまで、発見物の公表を先延ばしにしたと、多くの人々は思っている。皮肉なことに、もしシュリーマンがこれらの品目を「プリアモスの財宝」と誤って名づけていなければ、この財宝は今日有しているような価値や関心を得ていなかったであろう。だがシュリーマンは名プロデューサーだったので、これらの品にこういう名称をつければ、それが正確であろうとなかろうと、自分の遺跡とトロイアの町を発見したという自分の主張に世界の耳目を、実際そうなったように、引きつけることがわかっていたのである。

シュリーマンは最終的にこの財宝をドイツに送った。財宝はベルリン博物館で第二次世界大戦の終わり近くまで展示され、以後ほぼ五十年間、忽然（こつぜん）と消えていた。一九九〇年代の初めにロシア政府は、政府が戦争賠償金と見なすものの一部として、この財宝が一九四五年にモスクワに運ばれたことを認めた。現在は、プーシキン美術館で展示されている。

シュリーマンは、プリアモスのトロイアはこの遺跡で発見した九都市のうち、二番目の「焼壊した都市」だと考え、その上にある都市をとりわけ一八七〇年代の初めには作業員ともども性急に掘った。後年、一八七九年と一八八〇年代に行なった組織的な発掘活動の際には、はるかに慎重になり学者たちの助言もしばしば聞き入れたが、それでもこれらの上方の都市や下方の都市域から出土した物質の多くはそのまま捨てられた。後で判明したように、これは非常に残念なことだった。というのは、学者たちは言うまでもなく、シュリーマンも晩年に近づくにつれて、デルプフェルトに説得され、またギリシア本土のミュケナイやティリンスから自身が発見した出土物からも得心して、過去の自分の誤りを最終的に認めたからである。トロイア第2市は実際には一千年早すぎ、トロイア第6市か第7市なのであった。

このことを、シュリーマンは最終的に理解した。というのは、トロイア第6市と第7市でかつて見つけたのと同じ種類のミュケナイ土器を、ミュケナイとティリンスでも発見したことは、これらのレベルがみな後期青銅器時代のだいたい同じ年代であることを意味したからだ。フランク・カルヴァートなど他の人々は、このことを何年も前から彼に指摘してきたし、耳を傾けてくれる人がいれば誰にでも指摘しただろう。残念ながら手遅れだった。シュリーマンがかつて探していたまさにその建物やものの多くは、作業員たちがすでに破壊したり捨ててしまっていたりしたのだ。後代のギリシア人やローマ人が、自分たち自身の都市の神殿や他の建物を建てるために丘の頂上部分をすでに削り取ったことに、彼は気づいていなかったのだった。したがってプリアモスのトロイアは――ヘレニズム時代のギリシアとローマの土木工事のせいで――、シュリーマンが思ったよりもずっと現代の地表に近かったのである。

シュリーマンはこの遺跡で新たに組織的な発掘活動をする準備を始めた。しかし始める前に、一八九〇年のクリスマスの日にナポリの繁華街の路上で倒れ、翌日亡くなった。遺体はアテネに搬送され、アテネの第一墓地という名誉ある場所に埋葬された。墓の上には小さなギリシア神殿の形をしたモニュメントが置かれ、そこには、とくにトロイア戦争やトロイア、ミュケナイ、ティリンスなどの地での発掘の場面が描かれており、『イリアス』を手にしたシュリーマン自身の姿もあった。

デルプフェルトとトロイア第6市

シュリーマンの死後、彼の建築家だったヴィルヘルム・デルプフェルトがヒサルルックでの発掘の責任者を引きつぎ、ソフィア・シュリーマンから部分的に資金提供を受けた。デルプフェルトは今回はトロイアの六番目の都市の遺跡に重点的に取り組み、一八九三年と一八九四年の二シーズンのあいだ発掘した。紀元前一七〇〇年頃に初めて定住が行なわれたトロイア第6市は、何度も改修された結果、数百年後に最終的に破壊されるまで少なくとも八つの下位の相が考古学者たちによって発見され、aからhに分類された。

シュリーマンはヒサルルックで、砦の中央部分についてはその多くを発掘したが、外縁部分は手つかずのまま残していた。そしてデルプフェルトが時間と金銭と精力の大部分を費やしたのは、この外縁部分だった。彼の努力は、トロイア第6市の要塞をぐるりと取り囲む、とてつもなく大きな城壁——ホメロスの英雄叙事詩に値する城壁——がっちりした石灰岩でできた、を発見したことで報われた。

デルプフェルトは三〇〇ヤード〔約二七四メートル〕のこの城壁を露わにし、城門および当時も二五フィート〔約七・六メートル〕の高さを誇った望楼も発見した。今日ヒサルルック／トロイア（図6参照）を訪れたときに見られるのは、この防御設備の遺構である。ホメロスは『イリアス』で、城壁を登ろうとするパトロクロスの試み（『イリアス』第一六歌七〇二―〇三行）に

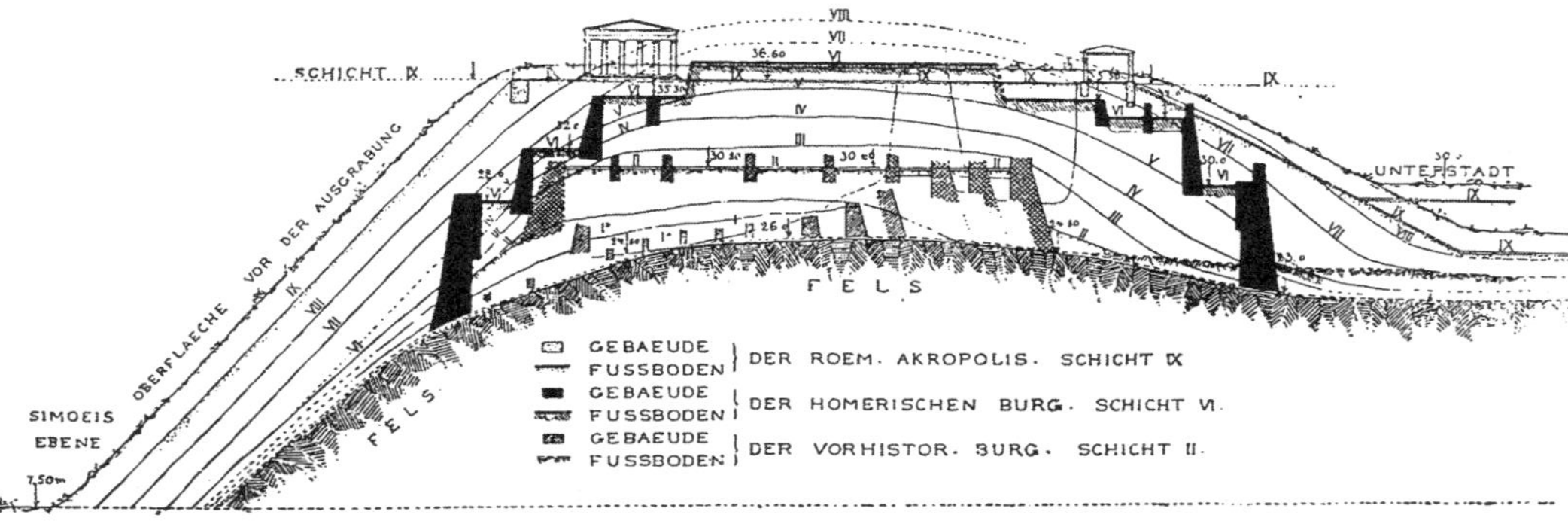

6　ヴィルヘルム・デルプフェルトによるトロイアの断面図。ひとつの都市が別の都市の上に位置する九つの主要な都市を示す。丘の最上部の点線は、ギリシア人が、後にローマ人が、丘陵の最上部を削り取って青銅器時代のものを取り除いたため、シュリーマンがプリアモスのトロイアの深さを間違ったところを示す。
〔一番下のラインはシモイエス川のレベルで、岩盤の上に都市の遺跡が重なる。建物や城壁・床面を表す太線は、外側からローマ時代のアクロポリス（第9層）、ホメロスの城（第6層）、先史時代の城（第2層）を表わす〕

関連して、城壁に角度つまり「傾斜」があると語る。これは、この城壁の正確な描写の可能性がある。もっとも、ホメロスが要塞の内壁と都市の外壁を混同した可能性もあるが。

この都市の最後のバージョンであるトロイア第6h市は非常にすばらしい。要塞を取り巻く高い城壁と石の塔があっただけでなく、広大な邸宅や宮殿がその内部を美しく飾った。裕福な都市で、エーゲ海から黒海への通路であるヘレスポントス海峡を見晴らす絶景スポットにあり、交易と徴税の組み合わせでさらに豊かになっていった。この時期のある時点で、トロイア第6h市の富や海外交流はおそらく、ミュケナイ全体ではないにしても、より大規模なミュケナイの宮殿の富や海外交流に匹敵したかもしれない。ヘレスポントス海峡での風と潮流は、黒海まで航行しようとする船には逆向きになることが多く、船は天候が好転するまで、おそらくときには延々と何週間も長居するはめになっただろう。トロイアとそのすぐそばのベシクテペの港湾設備は、そうした船の乗組員や乗客を、商人であれ、外交官であれ、戦士であれ、もてなしたことであろう。

トロイア第6市の遺跡で考古学者らが見つけた品々は、この都市の富を示す証拠になっている。シュリーマンの死の数年後にデルプフェルトが行なった慎重な発掘の間に、メソポタミアやエジプトやキュプロスから輸入された品々が発見され、さらに後にカール・ブレーゲンとマンフレート・コルフマンによっても発掘された。ミュケナイ土器もシュリーマンや、とくにデルプフェルトをはじめとする発掘者たち全員が発見している。アガメムノンとその戦士らによる包囲が十年に及んだ可能性を考慮すると、トロイア第6市でそうしたミュケナイのものが見つかるのは奇妙に思えるかもしれないが、ミュケナイ人とトロイア人が戦争以前は交易相手国で友好的だったと考えるなら納得がいく。

トロイア第6市は一連の層を経た後、数百年間にわたる人々の継続的居住の後に、最終的に破壊されたことを、デルプフェルトはつきとめた。彼は、ミュケナイ人がこの都市を占拠して全焼させ、その事件がホメロス叙事詩の物語の基になったと確信した。この発見は論争に終止符を打つと彼は思った。一九〇二年刊行の自著『トロイアとイリオン』で、デルプフェルトは「トロイアの実在とその遺跡をめぐる長きにわたる論争は終わった。……シュリーマンの正当性が立証された」と書いた。

しかしながら、デルプフェルトの信念に反して、トロイア第6市の破滅を引き起こしたのは人間ではなく、母なる自然だったかもしれないのである。

第6章 ヒサルルックに戻って
——カール・ブレーゲンとマンフレート・コルフマン

カール・ブレーゲンはシンシナティ大学を代表して、一九三二年にヒサルルックでの発掘を始めた。デルプフェルトが「長年の論争の決着」に関する言葉を発表してから三十年後のことであった。その間この丘を掘り返す者はいなかったが、有名な遺跡には、世界のどこにあろうとそんな空白期間はめずらしいことではない。というのは、発掘を継続するには多大な献身と財源と準備を要するからである。必要な許可を得るために、込み入った交渉が何か月あるいは何年にも及ぶこともしばしばあるが、関係当局のほうはそんな許可をやすやすとは与えない。とりわけその遺跡がとくに重要だと判断される場合には。

ブレーゲンは、トロイア第6市をプリアモスのトロイアと見なすデルプフェルトの見解に異議を唱えた。彼の考えでは、トロイア第6市の最終的な相を破壊したのが人間ではなく自然、具体的には地震によるものであることを示す、明白な証拠があった。ブレーゲンは、トロイア第6市ではなくその次の第7a市をプリアモスのトロイアとして支持した。

ブレーゲンはなかば一般読者向きの『トロイアとトロイア人』(一九六三年)という書物を刊行し、その中で、発掘チームがトロイア6相を再調査し始めたときに第7a市を見つけた状況を説明した。ヘレニズム時代とローマ時代に、アテナ神殿建造の一部としてこの丘の最上部全体が削り取られ、わずかに残った部分も後にシュリーマンに取り除かれたという事実にもかかわらず、手つかずのままの埋蔵物が境界沿いに一五フィートから一八フィート(五―六メートル)の深さで、城壁のすぐ内側にまだ残っているのが見つかった。彼の言うこの「大量の蓄積物」の内部には、トロイア第6a市から第6h市までの八つの連続的な層があった(図7参照)。

この八つの地層が文化的断絶なしにトロイア第6市の歴史全体を含むことに、ブレーゲンは気づいた。これは、住民たちが数世紀にわたって、外国から干渉されずに自分たちの都市を模様変えしたり改造したりしていただけだったことを意味する。建造物と同様に土器も時とともに変化したとはいえ、全体的に見れば、トロイア人が何世代にもわたってこの都市に住んだことは明らかであった。紀元前十五世紀末期か同十四世紀初頭にさかのぼる6f相のように、いくつかの小規模な破壊状態や地殻変動はあった。この時期からは火事の形跡が検知されたが、全体としては、トロイア第6市の時期全般にわたって文化的継続性があった。これは、新たな居住民なり侵略者なりが大勢侵入してはいないことを意味するのである。

7　トロイアの時間的経過を示す、トロイア第1市—第9市の平面図。古代のヒサルルックの丘に埋もれた複数の都市のさまざまな深さを示し、見やすくするためにトロイア第6市を拡大してある。

トロイア第７ａ市として考古学者たちに知られるこの遺跡の次の相にも、前の都市と類似の文化的連続性が見られる。実際、第７ａ市は真に新しい都市ではなく、壁を修理し家屋を修復して、再建したトロイア第６ｈ市にすぎないという点で、デルプフェルトとブレーゲンは意見が一致した。一九三二年から一九三八年までブレーゲンがこの遺跡で発掘している間も、デルプフェルトは（一九三五年に）トロイア第７ａ市は実際には新しい都市の最初の相ではなく、むしろ第６市の九番目の相、トロイア第６ｉ市と呼ぶべきだと提唱した。しかしながらブレーゲンが述べたように、この提唱は「たしかに観察事実に合うが……、それに長くなじんできた人たちが戸惑わないように、確立された専門用語のままにしてきた」のである。マンフレート・コルフマンは、ブレーゲンの五十年後にこの遺跡をまた発掘し、似たコメントをした。「デルプフェルトですら、先行する時期に酷似していることから7a相を実際には第6期に——つまり第6 i 期に——割りふるべきだと指摘した。……近年の発見物に基づいて、この分類のほうが私たちにも好ましい」と。

地震を示す証拠

ブレーゲンは多くの場合デルプフェルトの意見に賛同しており、自身の発掘からも大量の火災と破壊の証拠が得られたため、トロイア第6h市の末期に遺跡が破壊されたことについても同意した。とはいえ、破壊の方法と理由については意見を異にした。ブレーゲンによれば、侵入者の証拠もなければ新しいタイプの土器もなく、ミュケナイ人その他の者がこの都市を破壊したことを示しそうな大規模な変化もなかったのである。

トロイア第7a市ではミュケナイ土器まで見つかった。その多くは、トロイア人ないしそこに住むミュケナイ人がこの地で作った模造品である。ホメロスの描写どおり、トロイア第6市の終わりにミュケナイ人がこの都市を破壊し尽くし煙のくすぶる廃墟を残して去ったとすれば、トロイア第7a市でミュケナイ土器が見つかるのは理にかなわないだろう。むしろ、トロイア第７ａ市の大半の期間に一世紀以上も、あたかもミュケナイ人がトロイア人とまだ交易をしていたか、あるいは少なくとも接触を保っていたかのようだ。これらすべてがブレーゲンに示したのは、トロイア第６市の最終相を破壊したのが何であれ、その破壊を生き延びた人たちは、この都市をただ再建してくらし続け、それまでに四百年以上もの間いくつもの相にわたって修復と再建をくり返してきた寿命の長いこの第６市の、次の相を始めた、ということだった。

そういうわけで、デルプフェルトのほうは、ミュケナイ人がトロイア第６ｈ市を占拠し全焼させ、この事件がホメロス叙事詩の物語の基になったと確信したが、ブレーゲンはトロイア第６ｈ市とトロイア第７ａ市の連続性に注目し、デルプフェルトの考えに丁重に異を唱えた。ブレーゲンは、トロイア第６ｈ市は地震で破壊されたのであって人間に破壊されたのではないと感じた。もしそうだとすれば、地震による破壊はこれが初めてではなかっただろう。というのは地震による損傷の証拠は、先行する複数の都市――トロイア第３市、第４市、第５市――にもあるからだ。そしてヒサルルックの遺跡の位置は、一九九〇年代末にこの地域を壊滅させた複数の地震が示すように、現在も活発に活動する巨大な北アナトリア断層線の近くだということが知られているからである。

トロイア第６ｈ市は地震で破壊されたというブレーゲンの仮説には、裏づけとなる証拠がある――城壁はいびつに壊れ、巨大な塔は倒壊し、とてつもない力と地殻隆起の形跡がいたると

8　カール・ブレーゲンによる、1930年代の発掘の間に撮影された写真より。壊れた石と損傷を受けた城壁は、起こったであろう地震の損害を示している。

ころにあるのだ（図8参照）。発掘チームが刊行した最終報告書に彼が書き記したように、「私たちは、この大惨事の原因を激しい地震とすることに確信をいだいている……強烈な地震の衝撃は城壁の倒壊に、起こりうるいかなる人間的営為よりも納得のいく説明をするだろう」。後日、尊敬を集めているある地球考古学者が再調査を行なってブレーゲンの結論に同意し、「シンシナティ大学発掘隊が出した証拠は……圧倒的だと思われる」と述べた。

学者たちのなかには、トロイアを襲ったこの地震をミュケナイ人がうまく利用できたかもしれず、思いがけなく劇的に崩れ落ちて突然壊れた城壁を通って城内に入ったかもしれない、と主張する人もいる。すると今度は、この考えが叙事詩の記述と合うかどうかが問題になってくる。というのは、トロイア第6市は多くの点で

──城壁が十分に大きい、家屋は十分に壮大である、通りが十分に広い、十分に裕福である──、ホメロスの描写に一致する一方、ホメロスは地震に言及していないからである。

「トロイアの木馬」の話題に入ろう。多くの学者は、「トロイアの木馬」は実際には破城槌か何かの兵器だったと提唱してきたけれども、ドイツ・アカデミー会員のフリッツ・シャッヘルマイヤーは、「トロイアの木馬」は兵器ではなく、地震の詩的比喩だったと唱えた。彼の推理は単純で、ポセイドンはギリシアの地震の神だった、そして（ちょうどアテナが梟で表わされるのと同じように）ポセイドンはたいてい馬で表わされた。古代ギリシア人によると、ポセイドンの乗る馬車を引いて走る馬の蹄の音は、海の波のくだける音だけでなく地震の際の地鳴りの音もたてるので、「トロイアの木馬」は、トロイアの城壁を完全に破壊するためにポセイドンが送りこんだ地震を描く、ホメロス流の描写法かもしれない。「トロイアの木馬」は文字どおりには地震のことだが、たとえとしてそう呼ぶだけである。以上の提案はよく考えられているが、おそらくちょっと行きすぎだ。だが、ホメロスの身になって考えてみれば、それはこの都市の真の歴史上の終わり方を実際に変えずに話を終わらせる手段のひとつである。さらに、トロイア第6市がプリアモスのトロイアであってほしいのであれば、この都市はあらゆる点でホメロスの描写にぴったり合うのに、ただ崩壊のしかただけがホメロスの描写に合わないのはなぜかを説明する方法は、これ以外にはない。

年代変更と再利用

トロイア第6h市の深さで見つかった、輸入されたり現地で製造されたりしたミュケナイ土器を近年、再調査した結果、この都市の崩壊年代が変更された。もともと、ブレーゲンはミュケナイ土器の年代をおよそ紀元前一二七五年頃としていたが、後の学者たちがこの年代について議論し、なかには紀元前一一三〇―同一一〇〇年くらい遅い可能性もあると提唱する者もいた。一九九〇年代になって新しい研究が、ペネロピ・マウントジョイによってなされた。彼女は、ミュケナイ土器について信頼できる書物を数冊著わした著名な学者である。マウントジョイは、ブレーゲンが見つけたすべての破片を発見から数十年経って初めて扱い、再調査することができた。詳細な報告書の中で彼女は、トロイア第6h市は十中八九、紀元前一三〇〇年頃に破壊されたという結論に達した。この都市はアガメムノンやミュケナイ人とは何の関係もない地震によっておそらく終焉したという点で、彼女はブレーゲンと同じ意見であった。

トロイア第6h市の要塞内の広大で裕福な家屋の跡は、トロイア第7a市になるとすぐに再建され再利用されたが、かつて単一の家族が住んだ場所にまるで多数の家族が住んだかのように、今回はたくさんの壁で室内が細かく区切られているか、さもなければ、家屋跡の上に掘っ立て小屋や家々が立派な家屋から取ったがれきで建てられているかであることに、ブレーゲンは気づいた。彼は、この城塞の人口が突如として以前の数倍の規模に増加したことを意味すると思えるその他の印にも気づいていた。彼の意見では、人口の爆発的な増加を何より示すのは、たくさんの保存用の甕（かめ）――ピトイ（pithoi）と呼ばれる――であった。甕は屋内にあるだけでなく、ものを出し入れできるように上端だけ出して床下に埋められてもいた。住民たちはこういう保存用の甕を埋めることで、冷蔵庫がなかった時代でも腐りやすい品物を保冷できたうえ、穀物やワインやオリーブオイルなどの生活必需品の全般的な貯蔵能力を、二倍あるいは三倍にすることさえできたのである。

トロイア第7a市の破壊

ブレーゲンは確信していた。自分が発掘しているのはかつて包囲攻撃された都市であり、都市域の住民とおそらく周辺の村々の住民たちは、前進してくる敵軍に直面して町の上方の裕福な城塞に殺到したのではないかと。いくばくかの心もとなさは、トロイア第7a市が戦争で破壊されたことを発見して払拭されたと、彼は思った。というのは彼は、とくにエーゲ海域で作られた矢じりや、火災と家々が焼け落ちたことを示す痕跡だけでなく、城塞の内部の通りで骸骨や埋葬されていない遺体の一部も見つけたからである。ブレーゲンと発掘隊は最終報告書に、トロイア第7a市の遺構は「いたるところに火災の被害の跡があった」と書いて、こう付け加えた。「居留地7aの火災の痕跡を残す廃墟で人骨の破片が散乱しているのが発見されたことは、たしかに、この居留地の破壊が暴力行為に付随して起きたことを示す。無慈悲な敵に占拠され破壊された古代の町の運命がここに反映されていることがわかるのに、想像力は微塵も必要ない」。

ミュケナイ人が火を放ったのは明らかにトロイア第7a市であってトロイア第6h市ではないと、ブレーゲンは言った。彼は土器の年代決定に基づき、そしてこの地層をトロイア戦争と結びつけたいという願望もたぶん加わって、破壊の年代をおよそ紀元前一二六〇年―同一二四〇年とした。ホメロスの記述どおりにミュケナイ人がトロイア戦争に関与したとすれば、ミュケナイ人自身の文明が攻撃を受けギリシア本土の宮殿が破壊された時点――地域によっては紀元前一二二五年頃に始まった――より前に参戦したはずであることを、ブレーゲンは知っていた。一九六三年の自著『トロイアとトロイア人』でブレーゲンは次のような結論に達した。「ホメロスの詩の中で生き生きと描かれている遠征隊の襲撃のように、無慈悲な敵軍に攻囲占拠され略奪された町につきものの過酷な運命のイメージを、火災で黒焦げになった残骸と居留地の廃墟は与えている」。

トロイア第7a市がプリアモスのトロイアであることを満足のいくように究明してしまうと、ブレーゲンはその次の都市にも注意を向けた。それは、燃えた瓦礫と灰のすぐ上に建てられた都市、彼よりも前の発掘隊がすでにトロイア第7b市と命名した都市である。ブレーゲンはこの都市を7b₁と7b₂という二つの別々の相に下位区分できた。二つのうち最初の7b₁は、

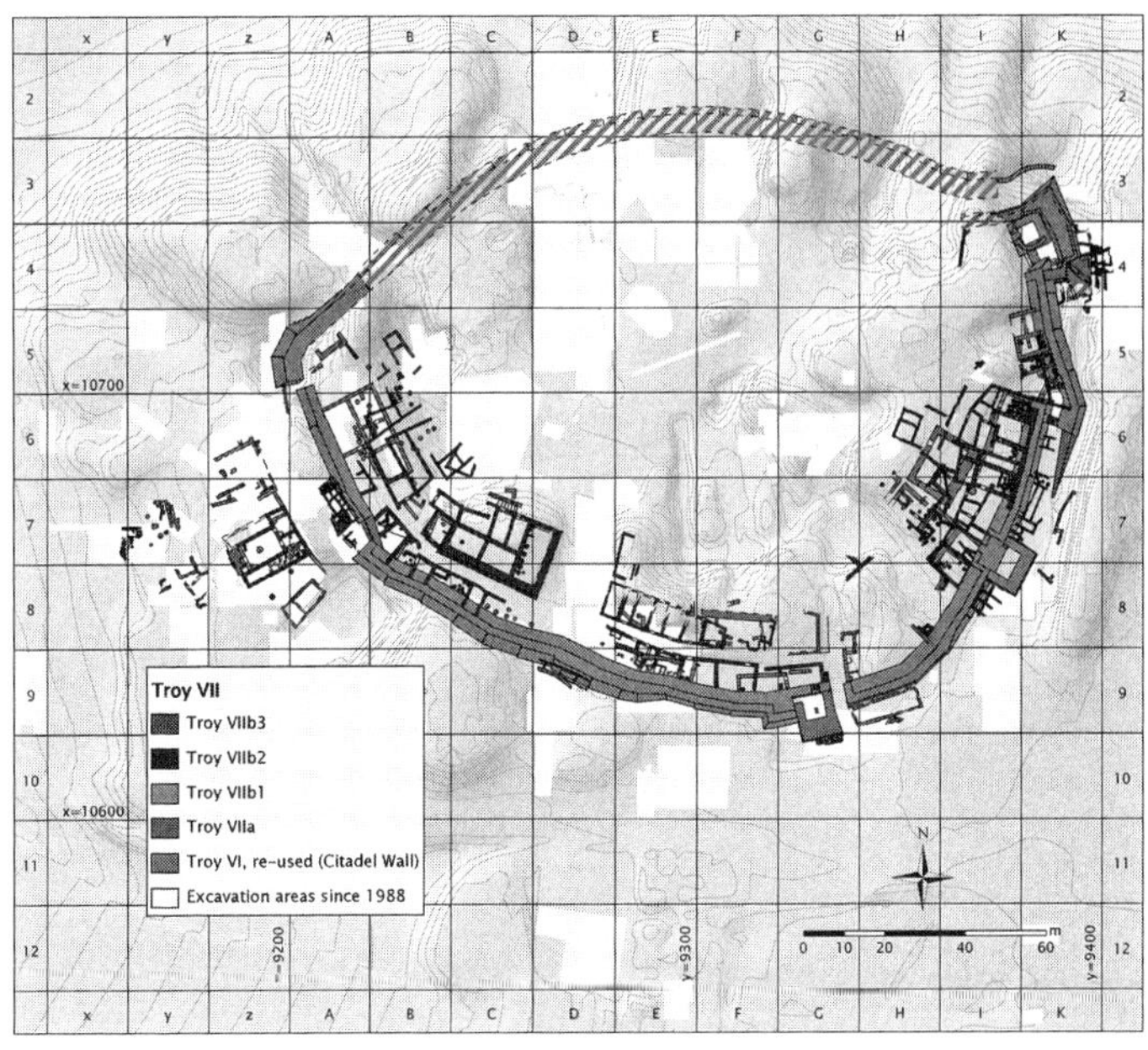

9　トロイア第7a市の平面図。トロイア第6市の再利用された城壁が示されている。マンフレート・コルフマン主導の1988年から2005年のこの遺跡での発掘から。

トロイア第7a市と酷似していたので、ブレーゲンは、「トロイア第7a市の要塞をくすぶる廃墟にした大惨事をからくも逃がれた生存者たちが、この遺跡をすぐさま再占領した」ことを示す証拠が$7b_1$であると結論づけた。実際にあるとき彼は再度、こう書いた。「この遺跡の諸相にデルプフェルトが割り振った番号を私たちがまったく自由に変えるとしたら、トロイア第7a市と第7b市をそれぞれトロイア第6i市と第6j市と改称することで、両都市の文化的関連性をもっと適切に認識すべきだった」。ブレーゲンによるとこの下位の相はおよそ一世代続いたが、何が原因でそれが紀元前一一五〇年頃に終焉したかが、はっきりしなかった。というのは第$7b_1$市からは、暴力の気配も火災や略奪や破壊の痕跡も発見できなかったからである。彼はそれをただ未解決の謎と呼んで、そのままにした。

この二つの下位の相の二番目のトロイア第$7b_2$市は、それ以前にあったどんなものともまったく異なっていた。違いがあまりにも大きいので、ブレーゲンは可能ならむしろこれをトロイア第8市と呼んだであろう。トロイア第$7b_2$市は、たんなる同じ都市の二番目の下位相ではなく、今度は都市のプランがまったく変更され、家屋建築もそれ以前と似ておらず、土器は新しい違うものになった。トロイア第$7b_2$市の住民は明らかに別だ。まるで前のトロイア第$7b_1$市の住民が丸ごと消えたかのようだった。この下位の相のほうは二、三世代続いた後、たぶん敵の来襲かまた別の地震によって前一一〇〇年頃にふたたび破壊された。それから、トロイアは数世紀のあいだ放棄された。のちにようやくまた人が住むようになったのは紀元前七〇〇年頃の鉄器時代からで、ローマ時代を通じそれ以降まで続いた。

ブレーゲンの解釈の諸問題

では、ブレーゲンは最終的に謎を解き、トロイア戦争の都市の正体を明らかにしたのだろうか？ その都市は本当に第７ａ市であろうか？ 彼の同定には問題点がいくつかある。ひとつには、トロイア第７ａ市は、豊かな都市というホメロスの描写――そびえたつ城門や高い城壁、道幅の広い通り、大きな家々、壮大な宮殿をもつ都市――に合わない。ブレーゲンが発掘した都市は、広い家々を仕切り壁で分け保存用の甕を足元に埋めた、建て直した貧弱な都市であった。これが包囲された都市であるとブレーゲンは考えた。ペネロピ・マウントジョイはつい最近、これはひとまず壊滅的な地震から復興しようと、廃墟のただなかに急ごしらえで建てた仮設住宅を備えた都市にすぎないと唱えた。とにかく、占拠するのに十年かかる都市ではなかったし、叙事詩を書くに価する都市ではたしかになかった。実際のところ、トロイア第７ａ市がホメロスの物語に合うのはその破壊のされ方――戦争という意図的な行為での破壊――だけである。おそらくホメロスはトロイア第６市という堂々たる都市について書いていたが、トロイア第７ａ市の破壊についても書いていたのだろう。言い換えれば、壮大な叙事詩物語を創造するために、さまざまな事件を圧縮することで詩人に与えられた自由を行使していたのであろう。だがこれは、ありうるひとつのシナリオにすぎない。

加えて、ブレーゲンによるトロイア第7a市の破滅の年代決定には、過去半世紀に何度も異議が唱えられた。異議の根拠はつねにこの居住地で発見された土器にあって、一部の学者は破滅の年代を紀元前一〇五〇年まで遅らせた。ごく最近、その年代はマウントジョイによって、紀元前十三世紀の最後の数十年から同十二世紀の最初の数十年にふたたび改められた。つまり紀元前一二三〇年と同一一九〇／八〇年の間のある時点ということになる。これは彼女が個人的に行なった土器の再分析に基づく年代再決定である。これだと、戦士がみな遠く離れたトロイアでの戦いで留守だったためにギリシア本土のミュケナイ人の宮殿が攻撃され滅ぼされたのでない限り、この破壊がミュケナイ人のせいだと言うのは難しくなるだろう。マウントジョイは実際、トロイア第7a市はミュケナイ人ではなく「海の民」によって滅ぼされたのであり、ミュケナイ人が滅ぼした都市はずっと後の紀元前一一〇〇年頃のトロイア第7b2市であると唱えている。とはいえこの後半のほうは、時期があまりにも遅すぎてその可能性はない。

「海の民」がトロイア第7a市を襲撃し滅ぼしたタイミングは、より大規模な破壊活動の一部としては、たしかに合っている。そして、略奪された都市で生き残った者たちが「海の民」に加わってその後の活動をしたと言う人々もいる。ただし、「海の民」が実際にトロイアを襲撃したかどうかは明らかではない。したがってトロイア第7a市を破壊した者の正体は、トロイア第7b1市とトロイア第7b2市の破壊と同様に、未解決のままである。

トロイアにおけるコルフマン

ブレーゲンのトロイアでの発掘が終わってちょうど五十年後、次の発掘研究活動が一九八八年に始まった。この発掘を率いたのはドイツのテュービンゲン大学のマンフレート・コルフマンで、彼の関心はこの遺跡の青銅器時代レベルの調査にあった。コルフマンと連携して、この遺跡の青銅器時代以後レベル（ヘレニズム時代およびローマ時代の遺構）の調査も、最初はブリンマー大学のステラ・ミラーの、次にシンシナティ大学のC・ブライアン・ローズの監督のもとで再開された。

コルフマンと彼の青銅器時代チームは、この丘の中央にある初期青銅器時代の遺物を精密に再調査することから始めた。そしてこの遺跡での収集は初めてとなる放射性炭素のサンプルも、すべての時期から集めた。その後はおもにトロイア第6市と第7市の再調査に携わった。その目的は、この二つの都市がどのくらいの大きさだったかを割り出し、後期青銅器時代のそこでの生活がどんなものだったかや、両市それぞれに劇的な幕切れをもたらす何が起こったかを判定することであった。

コルフマンは断固として主張し続けた。自分はトロイア戦争を調査しているのでもなければ、伝説の証明にも反証にも興味すらなく、むしろ非常に興味深い後期青銅器時代の一都市、さまざまな国際交流を行ない、紀元前二千年紀末期にその地域の原動力になった一都市を調査しているのだと。それでもコルフマンは二〇〇一年までには、発掘対象のトロイアという都市（彼は英語でTroyと呼ばずにドイツ語でTroiaと呼んだ）が、ヒッタイト人がウィルサと呼んだ都市と最終的に同一であると確信した。その時以来、彼の発掘報告書はこの遺跡をトロイア／ウィルサと呼び、他の多くの学者も同一と認めている。

コルフマンとそのチームは卓越した発掘技術とハイテク機器とを使って、多くの発見をした。そのひとつが下位の相をもうひとつ見つけたことで、彼らはこれをトロイア第7b_3市と見なした。この下位の相はほぼ一世紀続き、この遺跡が数百年間にわたって放棄される直前の紀元前一〇〇〇年頃に、理由はわからないが終焉した。

彼らはまた、その遺跡で初めて文字の入ったものをひとつ発見した――両凸の青銅製の印章で、両面に刻文がある。この印章は一九九五年に7b_2の深さで発見された。紀元前一一〇〇年頃のもので、片側に男性の名前、反対側に女性の名前が記され、この男性が書記であった可能性のある印もついている。

都市域

彼らの発見したもののうち群を抜いて重要かつ確実に最大のものが、一九八八年のプロジェクト開始直後の収穫である。コルフマンとそのチームは二、三年も経たないうちに、リモートセンシング（遠隔探査）装置で巨大な都市域の存在を発見したと確信した。都市域はヒサルルックの現在の丘の南に、一三〇〇フィート（四〇〇メートル）以上にわたって広がっていた。この発見はトロイアの規模と人口を、それまでの推測の一〇倍から一五倍に拡大するものである。さらに、後期青銅器時代のトロイアが実際に裕福で繁栄した都市であり、五〇エーカーから七五エーカー（二〇—三〇万平方メートル）を占め、おそらく四〇〇〇人から一万人の居住者がいたことも明らかにする。この調査は十二年以上継続したので、考古学者たちは、ヒサルルックの丘を取り巻く野原すべてが実質的にこの都市域全体にあたることを、二〇〇五年のあいだに確かめた。そしてこの都市域には、ヘレニズム時代とローマ時代に東西南北の碁盤の目状に設計された後代の遺構が含まれるほか、トロイア第6市と第7市と同年代の深さの地層も含まれることを裏づけることができた。実際、後代の遺構が青銅器時代の遺構を完全におおっているため、調査隊のあるメンバーの言葉を借りると、青銅器時代の都市域の遺構はそのせいで「保存状態が悪く」なり、「骨折りながら小さな区画ずつしか発掘できない」状態になっていた。

コルフマンのチームはさまざまな異なるタイプの磁気探知機を利用した。これは、発掘を始める前に地面の下をじっくり見られるので考古学者のあいだで普及してきた、リモートセンシング装置の類である。発掘を計画している地域内のいくつかの特定地点で局所磁場の強度を測

遺跡レベル	およその終焉年代	破滅の推定理由	後の状態
トロイア 6h	紀元前 1300	地震	連続／再建
トロイア 7a	紀元前 1230–1190/80	敵の襲撃	連続／再建
トロイア $7b_1$	紀元前 1150	不明	新しい文化
トロイア $7b_2$	紀元前 1100	地震あるいは敵の襲撃	連続／再建
トロイア $7b_3$	紀元前 1000	不明	何世紀の間も放棄

表2　ヒサルルック／トロイアの地層の年表　紀元前 1300 年―同 1000 年

定することによって、発掘チームは下にあるもののイメージを作り出すことができた。下にあるのが壁か、溝か、それとも何もないかによって局所磁場が違うのである。しかる後、最初の遠隔検出調査の結果を確かめるために、実際の発掘が行なわれた。

シュリーマンもデルプフェルトもブレーゲンもみな、これまで要塞もしくは宮殿のある上市しか発掘しなかったことは、今や明らかであった。上市は約六五六フィート×六五六フィート〔二〇〇メートル×二〇〇メートル〕の広さしかない。同時代のミュケナイの宮殿の遺跡のほとんどには上市も都市域もあるのだから、後から考えれば、トロイアにも都市域があって当然だ。しかしトロイアの都市域を見つけるには、現代の科学的な装置と、コルフマンとそのチームの側の知識に基づく推測が必要であった。

とはいえこの科学技術は、もしくは少なくとも科学技術の解釈は、絶対確実だとは限らず、コルフマンとそのチームも一時惑わされた。一九九三年二月のこと、彼らは大々的に発表を行なった。この要塞から一〇〇〇フィート〔約三〇五メートル〕以上離れたところに、都市域を取り巻く何かが地下深くにあることをリモートセンシング装置が示したというのである。発掘チームはこの発見物をとてつもなく大きな城壁と解釈した。このことは世界中でトップニュースになった。しかしながらその夏に発掘してみると、それは城壁どころか、トロイア第6市の時代の大きな防御溝であることが判明した。防御溝は岩盤まで切り込まれ、深さは三フィートから六フィート（一―二メートル）、幅は最大一三フィートあることがわかった。溝は数千年の間に土とごみで埋まってしまったせいでスキャンに固体塊として現われ、発掘チームはそれを最初、壁だと誤解したのであった。

その発見後の最初の二年（一九九三年と一九九四年）に、発掘チームはこの溝を一〇〇〇フィート以上たどった。その後、幅三〇フィートの門があることがわかった。同様の溝が二つあること、そのうちのひとつは要塞から離れた位置にあり、どうやらトロイア第6市の末期に人口増加で市が拡張されたらしく、もうひとつの溝より後になってから使われたことも発見した。もともとは、それぞれの溝の背後に木製の柵か背の高い塀もあったかもしれないが、分解して久しい。考古学者たちは、要塞を取り巻くトロイア第6市の巨大な石壁の遺構、デルプフェルトが最初に発見した遺構も突き止めることができた。そして先行の発掘者たちが見つけていた状態からさらに掘りおこしたのである。

コルフマンのチームは一九九七年と二〇〇一年の間に、いわゆる「泉の洞窟」――相互接続された人工的なトンネルと立て抗と通路からなる、岩を掘ってできた水道システム――も完全に発掘した。これは城壁の外側に、都市域の南西区域に位置していた。中心となるトンネルは、再開された発掘期間の早い段階ですでに発見されていたのだが、トンネル入口の中とその付近に養魚池ほかの建造物の遺構があることから、ローマ時代のトンネルだと考えられたのだった。前面のこれらの遺構は実際にたしかにローマ時代のものだが、二〇〇一年までにコルフマンとそのチームは、このトンネル・システムの建造が紀元前三千年紀の初期青銅器時代にさかのぼること、そしてこのシステムが二千年間の大半にわたって使われていたことを示すことができた。この点はコルフマンにとっては、とくにヒサルルック／トロイアと、ヒッタイト文書から知られるウィルサという都市との関連という観点から、きわめて重要であった。というのは、これが「アラクサンドゥ条約」で言及される「ウィルサの地の地下水路」かもしれないからである。

コルフマンとトロイア第7a市

コルフマンは彼以前のブレーゲンやデルプフェルトと同様に、トロイア第6h市と第7a市の間に文化的断絶がないことを苦労の末に明らかにした。コルフマンが先達たちとは違う点は、トロイア第7a市（もしくは第6i市）が一世紀以上続いたと見なす点であった。コルフマンはペネロピ・マウントジョイと彼女が行なったミュケナイ土器の再調査を引証しながら、トロイア第7a市は紀元前一三〇〇年頃に始まり、いくつかの建築相の後、紀元前一一八〇年頃に「戦争に起因する破壊が原因で」終焉したと言明した。

　コルフマンが早くも一九九五年になしとげた最も劇的な発見のなかには、トロイア７ａ期が火災と戦争で終わったことを示す都市域での証拠があった。彼が予備報告書に記したように、彼らの発掘は要塞のある丘の南西の、トロイア７ａ期末期の燃えた層を明るみに出した。この層は「軍事的事件」の結果だと、彼らは考えた。後に、彼は一般向けの『考古学 Archaeology』という雑誌で、発掘隊は何体かの骸骨と「投石器の弾丸の山」をこの区域で見つけたこと、この区域には貯蔵庫を備えた広大な「中庭のある館」の遺構があるのが最終的に示されたことに言及している。興味深いことに、このトロイア第７ａ市の「中庭のある館」の真下にはトロイア第６ｈ市の相からの建造物がひとつあって、コルフマンの意見では、この建物も地震の結果として全焼・全壊したという。したがってコルフマンは、同じ小さな区域の中で、敵の攻撃によって破壊されたトロイア第７ａ市の建物が、地震で破壊されたトロイア第６ｈ市の建物の上に重なっている形跡を見つけたのであった。

　コルフマンのチームは何年もかけて都市域で、青銅の矢じり（図10参照）、少なくとも一体の埋葬されていない幼い少女の胴体の骸骨、そして防御用にすぐにでも使えるように用意してあった投石器用とおぼしき石の山をいくつも見つけた。彼のチームのメンバーのひとりは、この状況は負け戦を示すものであると記述した。そして実際に、少なくともコルフマンにとっては、これらはすべて敵勢の襲撃を受けた都市を示す明白な証拠であった。二〇〇四年のあると

10　トロイア第7a市の都市域地層で発見され、復元された矢じりは、この都市が敵勢による戦闘で破壊されたことを示す。

き彼は、ＢＢＣのドキュメンタリー番組の中でこう報告した。「今や証拠は、火災による燃焼と破滅的状況です。それから複数の骸骨があります。たとえば私たちはひとりの少女を見つけました、十六歳か十七歳だと思うのですが、なかば埋もれた状態で、両足は火で焼かれていました。遺骸の半分が地面の下にあったのです。都市の内部という公共の場に急ごしらえの埋葬は変です。……私たちは投石器の弾用の石も見つけました。……これは包囲された都市でした。防衛をかためた、自衛した都市だったのです。彼らは戦争に負け、明らかに打ち倒されたのです。」ただしコルフマンは、誰がこの破壊を引き起こしたかについて自分の考えを明確に述べていないし、当時ミュケナイ文明が崩壊しつつあったという事実についてもコメントしていない。

実際、都市域の破壊を引き起こしたのが誰なのかは、まったく明らかではない。そういった青銅製の矢じりはミュケナイ人が使った可能性もあるが、「海の民」もしくはまったく別の人々という可能性もある。もしもこの都市の破壊を引き起こした事件の年代が、コルフマンが述べたようにようやく紀元前一一八〇年だったとすれば、この破壊は、ミュケナイ人と結びつけられるのと同じくらいすんなりと、ラムセス三世の治世下での「海の民」の二度目の侵略と結びつけられよう。とはいえ、この年代決定はマウントジョイが分析したミュケナイ土器の最新のおおよその日付に基づくものである。したがってこの同じ研究によれば、この襲撃は二、三十年早く起こった可能性も同程度にあるのだ。もしそうであれば、ヒッタイト文書に記録されたように、この破滅はウィルサの王ウァルムの最初の打倒と結びつけることもでき、また結局のところミュケナイ人をほのめかす可能性もある。しかしながら、この仮説はほとんど推測の域を出ない。

新たなトロイア戦争

トロイア第7a市がミュケナイ人によって滅ぼされたのか、それとも誰か他の者によるのかはまだ明らかではないが、コルフマンの新しい調査成果はついに、トロイア戦争のこの問いへの答えにつながるかもしれない。それでも彼のデータは、ほとんどの考古学者のデータと同じように、解釈の影響を受ける。この点に関しては、コルフマンの研究はすでに意外な筋から批判にさらされている――テュービンゲン大学の自身の同僚のひとりであるフランク・コルプである。

二〇〇一年の初夏のこと、トロイアに関する大規模な展覧会がシュトゥットガルトで開幕し、ブラウンシュヴァイクを経て最後にボンまで巡回する間に、コルプはコルフマンのことを、大言壮語で、誤解を与えかねず、トロイアでの発掘に関する学問は見かけ倒しだと非難した。コルプは、トロイアに都市域などなく、都市域も岩盤に切り込まれた溝も、一般大衆をだまそうとしてコルフマンの空想力が作りあげた捏造だったのだと主張した。

議論は激しさを増し、最終的に二〇〇二年二月にテュービンゲン大学で二日間の会議――ほとんど模擬裁判――が開催されることになった。会議には一日当たり八〇〇人以上の人々が出席した。二日目に行なわれた三時間の全体討論はラジオで生放送され、ドイツの多くの地域のいたるところで聴衆は放送に釘づけになった。六〇名以上のジャーナリストが事の成り行きを報じた。あるレポーターによると、この会議はとうとうコルフマンとコルプの殴り合いで終わった。このジャーナリストの言葉を借りると「見苦しい鉄拳勝負」になったのだが、最終的な裁定はコルフマンと彼のトロイア解釈に有利であったし、この会議に出席していた青銅器時代の専門家たちがすぐに執筆した長い再査定書によって支持された。しかしながらコルプはこの論争をあきらめず、学術誌上での議論を続けている。

コルフマンは二〇〇五年八月に急逝した。彼が亡くなると同僚たちはトロイア、テュービンゲン、シェフィールドなどで弔旗を掲揚した。テュービンゲン大学によるトロイアでの青銅器時代の発掘は、初め二〇〇五年夏の間はコルフマンの優秀な代理人のペーテル・ヤブロンカが担当し、それ以降はコルフマンの年上の同僚エルンスト・ペルニカの指揮のもと、引き続き実施されている。

エピローグ

私たちは結局、トロイア戦争について何を知っているのか、そして何を信じるのか？　ホメロスは後期青銅器時代の終わり頃に起こった現実の歴史的事件を、つまりおそらく、ミュケナイ人が自分たちの文明が崩壊する前にアナトリア沿岸で戦った最後の戦争を、描いていたのだろうか？　トロイアとトロイア戦争については、遠い過去にも近年にも、多くのことが書かれてきた。トロイアはイングランドや北欧や、トルコのキリキアにあったという主張すらあり、この話は実際にはアトランティス伝説が歪曲されて伝わった話形だという主張など、空想をたくましくしたファンタジーが従来、出版されてきたし、なかには近年に出版されたものすらある。学者たち自身は今なお、ホメロスとトロイア戦争の歴史性について議論している。そのなかには、ホメロス叙事詩をただの空想の産物と見なすべきだと言う人もいれば、「トロイア戦争のモチーフが……〔紀元前〕八世紀に無から発明された可能性がある」なんてありえないと言う人もいる。

依然として二つの問いが最も重要である。ホメロスの『イリアス』の基盤になった北西アナトリアで戦われた戦争が現実にあったのか？　私たちは、かつてプリアモスのトロイアがあった遺跡を発掘してきたのか？　反対論者は別として、ほとんどの学者はこの両方の問いの答えはイエスだと同意するだろう。ただし、条件つきのイエスである。最終的な回答を出す上で問題になるのは、手持ちのデータが少なすぎることではなく、多すぎることなのである。ギリシア語の叙事詩とヒッタイト語の記録とルウィ語の詩と考古学的遺物は、一度きりのトロイア戦争の証拠ではなく、トロイアとトロアド地方と見なされる地域で戦われた何回もの戦争の証拠を提供している。その結果、ホメロスのトロイア戦争の証拠は、気を持たせるくせに煮え切らない。ただひとつの「動かぬ証拠」がないのだ。

戦争は何度あったのか？

ギリシア文学上の証言によると、トロイア戦争は一度だけではなく少なくとも二度あった（ヘラクレスのトロイア戦争とアガメムノンのトロイア戦争）。実のところアガメムノンが本戦の前に行なって不首尾に終わったテウトラニア襲撃も数えるなら、三度あったことになる。同様に、ヒッタイト語の文字証拠によると、紀元前十五世紀末期のアッシュワの乱から同十三世紀末期のウィルサの王ウァルムの打倒までの範囲にわたって、少なくとも四度のトロイア戦争があった。そして考古学的証拠によると、トロイア／ヒサルルックは紀元前一三〇〇年から紀元前一〇〇〇年の間に、三度ではなかったとしても一度は破壊されている。このなかには昔から知られていたものもあるが、残りはごく最近、明らかになった。

残念ながら、これらの個々の事件はどれも他の事件と確信をもって結びつけることができない。たとえば、ヒッタイトの関連記録に見られるウァルムの打倒は、トロイア第７ａ市の破滅の一因だと思うであろうが、この二つのことが間違いなくつながっていると確固たる信念をもって言うことは、私たちにはできないのだ。

とはいえこれは、こういった古い時代を対象とする考古学ではよくある問題である――一方ではある遺跡で破壊行為が考古学的に裏づけられ、他方でこの同じ都市の攻略と破滅ないしはその片方を実証する文字記録があるときでさえ、考古学的裏づけと文字記録を結びつけるのはしばしば難しい。思い浮かぶ最もよい例は、イスラエルのメギドの場合である。メギドの例では、エジプトのファラオ、トトメス三世が紀元前一四七九年頃にこの都市を占拠したことが、文書記録からわかっている。この遺跡の破壊行為を示すいくつかの考古学的地層もある。それなのにこれまでのところ、文字テクストと考古学的証拠を関連づけるのは不可能であることが判明しているのである。

これもはっきりさせておかなければならないのだが、トロイア戦争の場所を歴史的かつ考古学的に探そうとする試みはどれも、どうしても状況証拠に基づかざるをえない。状況証拠というものは一連の仮説や見解を引き出すが、得られるのはもっともらしいがなお仮説的な復元にすぎない。仮説には次のものが含まれていて、このうちの一部もしくはすべてが使える。

・ウィルサはおそらく、イリオスつまりウィリオス（トロイア）である。
・ウィルサの王アラクサンドゥは、イリオスつまりウィリオス（トロイア）のアレクサンドロス／パリスかもしれない。
・ウィルサの王ウァルムは紀元前十三世紀末期に敵勢によって追放される。
・アッヒヤワはおそらくギリシア本土のひとりないし複数のミュケナイ人である。
・トロイア第６ｈ市は破壊されたが、おそらく人間ではなく地震によるものであった。
・トロイア第７ａ市は人間によって戦争で破壊された。

ホメロスと歴史

十年間の争いを軸に繰り広げられる感動的な叙事詩を作るために、ホメロスが人と事件を圧縮し、何世紀にも及ぶ断続的な戦争も圧縮するという文学的自由を行使した可能性は、十分にあると主張する人がいるかもしれない。彼の詩は史書としてではなく、愛と名誉のような普遍的主題に関連して人々が誇りに思う叙事詩としてあるはずだ。

青銅器時代のエーゲ海の戦士と武器についての理解に加えてホメロスが利用したであろう題材のなかには、紀元前一三〇〇年頃に地震で倒壊した豊かなトロイア第6h市についての知識はもちろん、紀元前一四二〇年頃のトゥドハリヤ一世／二世の時代の「アッシュワの乱」の話と、この件へのミュケナイ人の関与もおそらくあっただろう。口誦伝承はトロイア第7a市の再建についても語ったかもしれない。第7a市は、ムワッタリ二世治下の紀元前一二八〇年頃にアラクサンドゥによって統治され、その後トゥドハリヤ四世治下の紀元前一二二五年頃かそれ以降にはウァルムによって統治されていた。ひょっとしたら、紀元前十三世紀中葉のハットゥシリ三世治下の時代に、ウィルサをめぐってヒッタイト人とアッヒヤワの間にあった敵意についても語ったかもしれない。ホメロスはまたおそらく、トロイア第7a市が紀元前一二三〇年頃—同一一八〇年頃に戦争によって破壊されたことも耳にしていたであろう。そしてその後の紀元前一一〇〇年頃に起こったトロイア第7b_2市の崩壊についても聞いていたかもしれない。

したがって、『イリアス』でホメロスがトロイアの描写にトロイア第6h市の知識を利用している可能性があるのに対して、都市の滅亡のほうはトロイア第7a市を終わらせた火災の知識から得た可能性がある。そうだとすれば、ホメロスのトロイア戦争というのはひとつの事件ではなく、むしろ過程であったと主張できる。つまりそれには、この戦争からホメロス自身をへだてるその後の五百年間の人々や場所や事件といった細部はもちろん、後期青銅器時代の数百年間から取られた人々や場所や事件も組み込まれているのである。ホメロスが、猪の牙の兜や大楯やアイアスのような昔の人物たちを取り入れ、場合によっては自身の時代に合わせやすいよう、使われた装具や戦術を最新式のものにしつつ、さらに古い詩歌から自分の詩に素材を織り込んだ可能性もある。そして彼は、もっとおんぼろな再建されたヴァルムのトロイア第7a市の代わりに、美しく近づきがたいトロイア第6市の描写を用いた可能性もある。

ホメロスは事実を把握していなかったかもしれないし、気にもかけなかったかもしれない。結局のところ、中世以降の最も偉大な叙事詩人や叙事詩の一部のものは、私たちが知っているように、歴史的事実を変更してきた。そして偉大な英雄伝説というものは往々にして、あまり重要でない事件か、あるいは原型をとどめないほど歪められたできごとをめぐって作られるのだ。『ローランの歌』と『ニーベルンゲンの歌』がいい例で、どちらも「実際に起きた歴史的事件の細部に変更を加えた」。したがって私たちはたぶん、たとえ細部には疑問視されるところが一部にあろうと、トロイア戦争の物語の基本的な変数を確認できるだけの知識があることに満足すべきであろう。なぜなら私たちは、一部の人々が意識しているよりもずっと遠くまで来たのだから。

シュリーマンの時代以来私たちは、ミュケナイ人とその文明の存在を確かめてきた。アガメムノンが実在の人物かどうかはまだにしても。トロイアという都市がかつて存在したことを確かめてきた。遺跡のどの深さがプリアモスの深さか、あるいはプリアモスが実在したか否かも決着がついていないにしても。北西アナトリアというまさにトロイアのある地域の海岸で、後期青銅器時代のあいだ三世紀以上にわたって間欠的にミュケナイの戦士たちが戦っていたことを、私たちは確かめてきた、あるいは少なくともかなり自信をもって推測してきた。アキレウスやパトロクロスを特定はできないにしても。そして、紀元前十三世紀初頭にアラクサンドゥと対戦したのが、あるいは紀元前十三世紀末にウァルムを退位させたのがアガメムノンだったと断言できないにせよ、同時期にトロイアで、あるいはトロイアをめぐって多くの戦いがあったとヒッタイトの記録が示していることを、今や私たちは知っている。言い換えると、ホメロスの物語は大筋で真実のように思えるのである、アレクサンドロスとヘレネや、アガメムノンとプリアモスや、アキレウスとヘクトルが実在したかどうかはともかくとして。

しかし、トロイア戦争はひとりの女性への愛ゆえに起こったのであろうか？　ひとりの人間が誘拐されたことで十年にわたる戦争が起こるなんてありうるか？　答えはもちろんイエスである。ちょうど、紀元前十三世紀のエジプトとヒッタイトのある戦争が、ヒッタイトのひとりの王子の死がきっかけで起こったように、そして第一次世界大戦がフェルディナント大公の暗殺で勃発したのと同じように。だが、第一次世界大戦はどのみち何か他の事件が引き金になって起こったであろうと言えなくもないように、トロイア戦争も、ヘレネがいようといまいと否応なく起こったであろうと言える。ヘレネの推定上の誘拐は、土地・貿易・利益・黒海へのアクセスをめぐって、すでに決まっていた戦争を始める口実にすぎなかったように見える。

そんな戦争が十年も続いただろうか？　もちろんありえないと思われる。そしてここには、影響を及ぼした他の諸要因があるかもしれない。一部で言われているように、最初のテウトラニア襲撃と最後のトロイア攻撃の間にはおそらく九年の隔たりがあった。コーネル大学古典学教授のバリー・ストラウスが示唆したように、たぶん十年というのは、非常に長い時間しか意味しない「九回、それから次に一〇回目」という近東の言い回しを反映したにすぎない。あるいはひょっとすると、実際に十年続いたかもしれない。いつまで経ってもわからないかもしれない。

加えて、トロイア戦争の実際の理由はトロイア人自身と関係がなかったかもしれない。トロイアはミュケナイ帝国とヒッタイト帝国双方の端に、つまりいわゆる「係争中の外縁部」に位置し、古代地中海世界の二つの大国の餌食にされた。どちら側も我が邦こそトロイアを所有すべしと考え、双方ともこの都市を支配するために進んで武力に訴えた。トロイア人自身の望みは関係なかったか、あるいは少なくとも、ほとんど意味をもたなかったであろう。そう考えると、トロイア戦争は実際にはミュケナイ人とヒッタイト人の争いで、トロイア人はその板ばさみになった不運な人々だという注目すべき可能性が出てくるのである（ただしホメロスとヒッタイトの記録はどちらも、トロイア人はヒッタイトの味方であり、ミュケナイ人／アッヒヤワと敵対すると見なした〔ホメロスについては解説一九二ページ参照〕）。

そしてトロイア戦争と、オデュッセウスら著名な戦争参加者たちの運命は芸術的・文学的に再解釈され、創作と複製がくり返されてきた。それはこれまで何世紀にもわたって行なわれてきたことであり、現在も行なわれている。したがって私たちにあるのは、後代のギリシアの劇作家やローマの詩人の作品だけではない。チョーサーの『トロイルスとクリセイデ』〔一三八五年〕やシェイクスピアの『トロイラスとクレシダ』〔一六〇二年〕、カミーユ・サン＝サーンスのオペラ『エレーヌ』〔一九〇四年〕、ジェイムズ・ジョイスの『ユリシーズ』〔一九二二年〕、そしてこの叙事詩に関する銀幕のさまざまな撮影もあるのだ。二十世紀初頭以来、トロイア戦争やヘレネ、オデュッセウス、アキレウスと（あるいは）「トロイアの木馬」を主役とする映画が数えきれないほどたくさん現われた。

こういった後代の作品の一部には、細部やあらすじが不正確だとか、ホメロスに忠実でないと考えられる部分がある——たとえば二〇〇四年に大ヒットしたハリウッド映画〔『トロイ』〕では、神々や女神たちは現われない。〔主役のアキレウスを演じた〕ブラッド・ピットがパトロクロスの遺体のまぶたの上に硬貨を置いたが、これは時代錯誤だ。この種の貨幣が考案されたのは紀元前七〇〇年頃のリュディアで、五百年も後のことだった。それに、アガメムノンとメネラオスは二人とも殺されたのに、パリス／アレクサンドロスは殺されない。このようにして、おなじみのホメロス／「叙事詩の環」の話は変わっていく――。しかしこれは、ホメロスに従いつつも細部を一部、自由に変更したギリシアの劇詩人たちまでさかのぼる、長年にわたる伝統なのだ。さらに重要なのは、それぞれがこの物語を独自のやりかたで再解釈してきたことである。チョーサーにとっての中世のキリスト教、シェイクスピアにとってのエリザベス朝の世界観、ヴォルフガング・ペーターゼン監督にとってのイラク戦争のような、特定の時代の不安や欲望をしばしば反映する変更やニュアンスを伴って。

どの時代も明らかに戦争に関係している。おそらくその最もよい例がパトリック・ショー＝ステュワートの無題の詩である。彼はオックスフォード出身の古典学者で、第一次世界大戦中トロイアからダーダネルス海峡のちょうど対岸にあるガリポリで戦った。その詩にこういうくだりがある。

ああ、船と町の地獄、
僕のような男たちの地獄、
破滅をもたらす第二のヘレネよ、
僕はなぜ君に従わねばならないのか？

アキレウスはトロイアの地にやってきた、
そして僕はケルソネソスに。
彼は怒りから戦いに転じた、
そして僕は三日間の平安から。

それほどむずかしいのか、アキレウスよ、
死ぬのはそれほどむずかしいことか?
君にはわかるが、僕にはわからない――
僕のほうがそれだけいっそう幸せだ。

〔ケルソネソスはガリポリのこと〕

著名な歴史家のモーゼス・フィンリーは一九六四年に、もっとたくさんの証拠が得られるまで、トロイア戦争の物語を歴史の領域から神話と詩歌の領域に移すべきであると提唱した。多くの人々はたぶん、今ではもっと証拠がある、とくにアッヒヤワとウィルサについて論じるヒッタイトのテクストと、トロイア出土の考古学的な新しいデータがある、と主張するだろう。しかしながらこれまで見てきたように、間違いなくこれと言える特定の「トロイア戦争」は存在せず、少なくともホメロスが『イリアス』と『オデュッセイア』で描いた「トロイア戦争」はなかった。その代わりに私たちは、いくつものその種のトロイア戦争と、トロイアにあったいくつもの都市を見つけた。すべての物語の根底には――何らかの――わずかな歴史的真実があると結論づけるには、これで十分だ。

ゼウスやヘラなどの神々が戦争に関与する場合はとくに、現実と幻想の境界線があいまいかもしれないし、一部のささいな点にけちをつけるかもしれないが、全体的に見れば、トロイアとトロイア戦争は北西アナトリアという、まさにあるべき場所にある。そして、ホメロスと「叙事詩の環」からのギリシア語の文字証拠に加えて、考古学とヒッタイト文書からも現在わかるように、トロイアとトロイア戦争は後期青銅器時代の世界にしっかりと収まっている。さらにその上、愛や名誉や戦争、親族、社会の掟といった、後代のギリシア人と後続のローマ人の大きな共感を呼んだ永続的な主題は、アイスキュロスとソポクレスとエウリピデスから、ウェルギリウスとオウィディウスとリウィウスを経て、チョーサーやシェイクスピアやその先々まで時代を超えて共感を呼び続けてきた。それゆえにこの物語は、もともとの事件もしくはそのバリエーションが生じてから三千年以上も経っているのに、今日なお多くの人々を魅了するのである。

用語集

アイアス　ギリシアの英雄。初期のギリシア神話からとり入れられた可能性が高い
アイスキュロス　紀元前五世紀に生きたギリシアの悲劇詩人、『アガメムノン』の作者
『アイティオピス』　「叙事詩の環」の一作品
アガメムノン　メネラオスの兄。ギリシア本土のミュケナイの王
アギアス（トロイゼンの）　おそらく『帰国譚』の著者
アキレウス　ギリシア軍随一の駿足の英雄、『イリアス』の主役
アッカド語　紀元前二千年紀の古代中東での話し言葉・書き言葉。当時の外交における共通語
アッシュワ　西アナトリアの紀元前一四二〇年頃の二二都市国家同盟および地域または都市の名
アッタリッシヤ　アッヒヤ（アッヒヤワ）の統治者
アッヒヤワ　おそらくミュケナイ時代のギリシアを指すヒッタイト語
アテナ（アテネ）　知恵と勇気などの属性を持つギリシアの女神

アプロディテ　ギリシアの愛と美の女神
アラクサンドゥ　ウィルサの王。紀元前一二八〇年頃に統治した
「アラクサンドゥ条約」　ウィルサのアラクサンドゥとヒッタイト王ムワッタリ二世の間で署名された条約、紀元前一二八〇年頃
アルクティノス（ミレトスの）　おそらく『アイティオピス』と『イリオンの陥落』の著者
アルヌワンダ一世　ヒッタイト王、トゥドハリヤ一／二世の後継者。紀元前一四二〇年頃に統治した
アレクサンドロス　トロイア王子パリスの別名。プリアモスの息子でヘレネの恋人
イピゲネイア　アガメムノンの娘。ミュケナイ艦隊に順風が吹くようにアウリスで犠牲に捧げられた
『イリアス』　トロイア戦争の最後の日々を描くホメロスの叙事詩
イリオス　トロイアの別名。元来はウィイリオスと綴られた
『イリオンの陥落』　「叙事詩の環」の一作品
ヴァルム　ウィルサの王、紀元前十三世紀末期
ウィルサ　おそらくトロイアを表わすヒッタイト語の名称
ウェルギリウス　紀元前一世紀のローマ詩人、『アエネイス』の作者
「海の民」　紀元前一二〇七年と同一一七七年の二度にわたって地中海地域を放浪／移住した集団。この地域における青銅器時代の終焉の一因となった可能性がある
エウリピデス　紀元前五世紀のギリシアの悲劇詩人、『アウリスのイピゲネイア』の作者

エペイオス　「トロイアの木馬」を考案したギリシアの戦士
オウィディウス　紀元前一世紀から紀元後一世紀のローマ詩人
『オデュッセイア』　トロイア戦争後のオデュッセウスの帰国の旅を語ったホメロス叙事詩
オデュッセウス　木馬の計を考案したギリシアの知将
『帰国譚』　「叙事詩の環」の一作品
『キュプリア』　「叙事詩の環」の一作品
キュプリアス（ハリカルナッソスの）　『キュプリア』の作者候補のひとり
クイントス・スミュルナイオス　紀元後五世紀の叙事詩人
ククリ　アッシュワの王。ピヤマ・クルンタの息子、紀元前一四二〇年頃に統治した
クリュタイムネストラ　アガメムノンの妻、帰国した夫を殺害した
ザンナンザ　ヒッタイトの王子、シュッピルリウマ一世の息子。紀元前十四世紀中葉にエジプトに行く途中で殺害された
シュッピルリウマ一世　ヒッタイトの大王のひとり。紀元前一三五〇年―同一三二二年に統治した
『小イリアス』　「叙事詩の環」の一作品
「叙事詩の環」　トロイア戦争に関する、断片のみ残る叙事詩群
スタシノス（キュプロスの）　『キュプリア』の作者候補のひとり
ゼウス　古代ギリシア人が崇拝した神界の長
ソポクレス　紀元前五世紀に生きたギリシアの悲劇詩人。『オイディプス王』の作者

タワガラワ アッヒヤワの王の兄弟。紀元前十三世紀中葉。ヒッタイト書簡に名前が登場する

「タワガラワ書簡」 ハッティの王、おそらくハットゥシリ三世（紀元前一二六七年頃—同一二三七年頃に統治）によって書かれた。この書簡は、アッヒヤワ（おそらくミュケナイ人）に積極的に関与した「ヒッタイト人反逆者」ピヤマラドゥの活動に関係する

テウトラニア トロイアの南の地域。アキレウスその他のギリシア勢がこれを誤って襲撃した

『テレゴノス物語』 「叙事詩の環」の一作品

テレマコス オデュッセウスの息子

トゥドハリヤ一世／二世 紀元前一四五〇年頃—同一四二〇年頃に統治したヒッタイト王。「アッシュワの乱」を鎮圧した

トゥドハリヤ四世 ヒッタイト王、紀元前一二三七年頃—同一二〇九年頃に統治した

トロイア イリオス、イリオンともいう。プリアモスとアレクサンドロス／パリスとヘクトルの故郷で、トロイア戦争の戦地。おそらく現在のトルコのヒサルルック遺跡とみられる

ネストル ギリシア本土にあるピュロスの王

ハットゥシリ三世 ヒッタイト王。紀元前一二六七年頃—同一二三七年頃に統治した

パトロクロス アキレウスの忠実な友。アキレウスの武具を着用している間に戦死する

パリス アレクサンドロスの別名。トロイア王子でプリアモスの息子。ヘレネの恋人

ヒサルルック トロイアの古代遺跡をほぼ確実に含む丘陵

ヒッタイト アナトリア（現トルコ）における主要国、紀元前一七〇〇年頃—同一二〇〇年頃

ピヤマ・クルンタ アッシュワ同盟のリーダー。紀元前一四二〇年以前

ピヤマラドゥ　紀元前十三世紀にアッヒヤワ人に関与した「ヒッタイト人反逆者」
ピロクテテス　アキレウスを殺害したパリスを射殺した弓の名手
プリアモス　トロイア戦争時のトロイア王
プロクロス　「叙事詩の環」（すなわち『文学便覧』）の編者。紀元後二世紀もしくは五世紀
ヘカベ　トロイアのプリアモス王の妻
ヘクトル　トロイアの英雄、パリスの兄
ヘゲシアス（サラミスの）　『キュプリア』の作者候補のひとり
ヘラ　ゼウスの妻
ヘラクレス　ギリシアの英雄。トロイア戦争の一世代前にトロイアを襲撃した
ヘレネ　メネラオスの妻。ミュケナイ時代のスパルタの王妃。アレクサンドロス／パリスの恋人
ヘロドトス　紀元前五世紀のギリシアの歴史家
ホメロス　『イリアス』と『オデュッセイア』の作者とされる詩人。紀元前七五〇年頃
マッドゥワッタ　アッヒヤワ往復書簡で大きく取り上げられている臣下
マナパ・タルフンタ　トロアド地方南部の川の国セハの王。紀元前一三〇〇年頃に統治した
ミノア人　青銅器時代のエーゲ海クレタ島の住民
ミュケナイ　ギリシア本土のペロポンネソス地方にあったミュケナイ人の主要都市、紀元前一七〇〇年頃―同一一〇〇年頃に居住、一八七〇年代にシュリーマンによってはじめて発掘された

ミュケナイ人　ホメロスのいうアカイア人、紀元前一七〇〇年頃―同一二〇〇年頃からギリシア本土に居住していた

ミラワタ　小アジア／アナトリア沿岸の都市ミレトスのヒッタイト語の名称

「ミラワタ書簡」　おそらく紀元前十三世紀末期にヒッタイト王トゥドハリヤ四世（紀元前一二三七年頃―同一二〇九年頃に統治した）が書き送った書簡。アッヒヤワと関係する「ヒッタイト人反逆者」ピヤマラドゥの継続的活動はもちろん、ミラワタ（ミレトス）という都市とも関連する。

ムワッタリ二世　ヒッタイト王。紀元前一二九五年頃―同一二七二年頃に統治した

メネラオス　ヘレネの夫でアガメムノンの弟。ミュケナイ時代のスパルタの王

ラオメドン　ヘラクレスの襲撃を受けたときのトロイア王。プリアモスの父で前王

ルウィ語　紀元前二千年紀のアナトリアの話し言葉・書き言葉

レスケス（ミュティレネの）　おそらく『小イリアス』の著者

謝辞

本書は、トロイア戦争とトロイア／ヒサルルックの発掘のごく簡潔な入門書で、これまで私がジョージ・ワシントン大学で何度も教えたセミナー・コースに沿って書かれている。トロイア戦争については以前にも書いたことがあり、それには、ジル・ルバルカバとの共著のヤングアダルト本（『トロイアを求めて掘る――ホメロスからヒサルルックまで』チャールズブリッジ社、二〇一〇年）と、私のオーディオ講義に付随するコースガイド（『考古学と『イリアス』――ホメロスと歴史上のトロイア戦争』モダン・スカラー社、オーディオブック、二〇〇六年）が含まれる。現行の文章はいかなる場合にも最新情報を示し、トロイア戦争というこの大いに研究されたテーマの再調査とさまざまな解釈を含んでいる。

以下の方々にお礼を申し上げたい。本書の編集者のナンシー・トッフのいつもながらの驚嘆すべき尽力と、ナンシーのアシスタントのソニア・タイコ、妻のダイアン・ハリス・クラインと父のマーティン・J・クラインに。また、原稿全体を通読し編集上のさまざまな変更と提案をくださった、オックスフォード大学出版局の匿名の校正者二名にもお礼申し上げたい。モダン・スカラー／レコーディド・ブックス社のエド・ホワイトにも、元は私のオーディオ・コースと併わせて出版された教材の使用と改変を許諾くださったことに感謝を。エリック・シャナウアー、クリストフ・ハオスナー、トレヴァー・ブライス、キャロル・ハシェンソンとシンシナティ大学古典学部に、そしてピーター・ヤブロンカとテュービンゲン大学のトロイア・プロジェクトには、図版ゆえに。キャロル・ベル、ジョン・ベネット、ジョシュア・W・キャノン、アーヴィン・F・クック、オリヴァー・ディッキンソン、ピーター・ヤブロンカ、スーザン・シェラット、リク・A・ヴァッスンとエリック・ファン・ドンゲンには、参考文献と論文のPDFをいただいた。ジョージ・ワシントン大学の教え子たちには、過去数年間の講義のあいだ、私が彼らを相手に新しい資料を試してみたときに示してくれた忍耐強さにお礼を。そして家族には、いつもながらの忍耐力に、ありがとう。

さらなる理解のために——解説にかえて

西村　賀子

ヨーロッパ文学の劈頭を飾る叙事詩『イリアス』は、アキレウスをはじめとするギリシア方の英雄とヘクトルなどトロイア方の英雄の命がけの戦いを歌う。トロイア戦争は史実か、虚構か。この問いは、シュリーマンの「トロイア発見」以来、百五十年にわたって議論が絶えず、万人が納得する結論には今なお達していない。もしこの戦争が史実だとすれば、あるいは、たとえ『イリアス』の詩人による純然たる虚構だったにせよその核となった戦さがあったなら、その戦いはいつ、何が原因で勃発し、どのくらい長い間、どんな規模で戦われ、どんな経過をたどったのか？　そもそも、本当にギリシア人とトロイア人の戦いだったのか？　そしてその結末は伝説と同じく、難攻不落のトロイアの炎上だったのか？

これらの問いに答えを出すには、ただひとつの専門分野での研究からでは難しい。二十世紀とくにその後半以降、学問は高度に専門化すると同時に、分野・テーマごとの分断化も進行した。異なる領域が協力しあい総合的な成果をめざす学際的研究が要請されて久しいが、その実現は思いのほか容易ではない。しかし本書は、トロイア戦争に関連する三つの分野の研究成果——ホメロス叙事詩と「叙事詩の環」などの文学資料、ヒッタイト文書という歴史学資料、ヒサルルック遺跡からの考古学資料——をくまなく渉猟し、それぞれの研究成果を多角的・総合的に検証している。そしてそれによって、謎めいたこれらの問いへの答えを模索するが、学術専門書ではなくあくまでも一般読者に向けられている。

本書をさらに理解するために、以下の解説は本書の内容を補うような情報を提供する。

ホメロスの叙事詩

トロイア戦争という概念はギリシアからしか得られない。古代ギリシア人はトロイア戦争を史実だと考えていたが、その情報源はもっぱらホメロス叙事詩つまり『イリアス』と『オデュッセイア』、そして付随的に「叙事詩の環」である。二大叙事詩は紀元前八世紀半ば頃に成立したと言われるが、約三千年も後の時代の私たちがそれを読めるのは、ヘレニズム時代（紀元前四—同二世紀）に成立したテクストの末裔がローマ帝国と中世を経てルネサンスでよみがえり、現代まで伝承されたおかげだ。しかしこれらの叙事詩は元々、文字を介さない口伝によって次世代に語り継がれていた。

ホメロスの二大詩篇の源泉となった伝説が口頭で伝承された期間は、少なく見積もっても四百年以上に及ぶ。一方で『イリアス』は一万五千行あまり、『オデュッセイア』は一万二千行あまりと、非常に長い。これほど長大なのに何世代にもわたって伝承されてきたのは、どうしてだろうか。その秘密は、詩歌の内容の豊かさ・深さもさることながら、長短格六脚韻というリズムにあった。

長短格六脚韻とは、長い音節一つと短い音節二つ（もしくは長い音節一つ）を一単位とし、六つの単位が一行を作る韻律である（ただし六つ目の単位だけはやや変則的で、長いまたは短い音節が一つ続くだけ）。そして両詩の行はすべて、この韻律でできている。音節の長短の組み合わせはじつにバラエティに富み、単調に堕することはない。聞くと耳に心地よく、印象深い。口ずさむと調子よく、くせになりそうだ。詩行の暗記は、文字文化にどっぷり漬かっている現代人にはそれほどたやすくないが、古代ギリシアでは幼いころからたえず耳にし、自らも暗唱する習わしだったこともあり、ホメロス（の少なくとも一部）を諳んじるのは自由人のたしなみだった。

文字化以前には話形が安定的に固定されていなかったため、口誦のパフォーマンスでは歌が一語一句違わず繰り返されたわけではなかった。大枠はほぼ同じでも、口演のたびに新たな展開が加わったり、細部が変化したりするなど、即興的な要素がかなりあっただろう。同じ現象は、本書六五ページで触れられているユーゴスラビアのグスラルたちが今から百年ほど前に行なっていた口演にも見られた。その口演はミルマン・パリーによって録音され、The Milman Parry Collection of Oral Literature On-Line のサイトでそれらを実際に聞くことができる（Milman Parry Songs–3（harvard.edu）および Milman Parry Songs–4（harvard.edu）で聴取可能）。

文字化されるためには、言うまでもなく文字が必要だが、後期青銅器時代の最終段階以降のギリシアは線文字Bを失って無文字時代になった。子音を表わす文字しかないセム語系フェニキア文字を借用し、母音も表わせるよう改良したギリシア語アルファベットが成立したのは、だいたい紀元前九世紀頃のことである。したがってトロイア戦争をめぐる伝説は、文字が導入される時期までにすでに数百年も口伝されていたことになる。しかも、文字の成立や書式の整備・統一と文字の一般的普及の間にはタイムラグがあるため、文字ができてすぐにホメロス叙事詩が記録されたわけではなかっただろう。詩は口述筆記されたという説もあるが、文字の導入後もかなり長い間、叙事詩伝承の主流は口承であり、それゆえ流動的な要素を保ち続けた。

では、『イリアス』などが初めて文字で記録されたのはいつか。この問題もじつはそれほど明確ではない。紀元前六世紀のアテナイ（現在のアテネ）の僭主ペイシストラトスは、「それ以前は混乱していたホメロスのテクストを現在われわれがもっているテクストの形に編纂した最初の人である」（キケロ『弁論家について』第三巻一三七）という。彼は経済の再建と文化事業に熱を入れ、この都市を守護する女神アテナのために四年に一度の大祭典を創設した。そして、ペイシストラトスの子ヒッパルコスはこの大祭典でホメロス叙事詩をリレー形式で吟唱するやり方を導入したと、プラトン『ヒッパルコス』二二八B―Cに記されている。キケロの証言にもプラトンの説明にもあいまいな点があるため詳細は不明だが、ホメロス叙事詩が文字に記されたのはだいたい紀元前六世紀だと考えられている。トロイア戦争の推定年代（紀元前十二世紀末）から文字による伝説の固定まで、およそ七百年か八百年、あるいはもっと長い時間が経過したことになる。

テクスト記録成立の結果として、叙事詩は新たな段階に進んだ。文字化による後世への恩恵は計り知れないほど大きいが、その一方で口伝から文字テクストへの変化は、かつて叙事詩が内包していた柔軟な即興性の消失を招いた。物語の展開や個々の描写に変更や更新がきかなくなり、聴衆に触発される当意即妙のパフォーマンスを含む口誦は、固定的な台本に基づく正確な暗誦にとってかわられた。もちろん、文字化以降のパフォーマンスといえども、たとえば間の取り方や発声のしかた、声音やジェスチャーなどには自由裁量の余地があっただろう。けれども物語の大枠と細部には、変幻自在な変更・追加・省略ができなくなったのである。

文字化による叙事詩のこのような決定的な変質は、次のことに明白に現われている。叙事詩を歌う人は文字化以前にはアオイドスと呼ばれたが、文字化以後はラプソドスと呼ばれた。アオイドスとラプソドスの最大の違いは、おそらく前者が口演のたびにアドリブを伴ったのに対して、後者はテクストを間違えずに再現することに力を注いだ点である。演者の呼び名やパフォーマンスの性格のみならず、口演の場、聴衆、伴奏楽器も変化した。アオイドスは貴族の館で催される饗宴という閉鎖的な場で、ポルミンクスという弦楽器の伴奏で歌った。『オデュッセイア』において、主人公の館で求婚者たちを前に歌うペミオス（第一歌）や、パイエケス人の宮廷で演じるデモドコス（第八歌）が、まさにアオイドスである。一方、代表的なラプソドスはプラトンの『イオン』に登場するイオンである。パフォーマンスの舞台は屋内での私的な集いの場から、屋外で公的行事として行なわれる祭典での競演に変わった。演者に耳を傾けるのは貴族から民衆に変わり、演者が手にするのは、弦楽器ではなく月桂樹の杖になった。

文字化されたとはいえヘレニズム期以前には、テクストは細部までことごとく同じだったわけではなく異同があり、多様であった。したがって、たとえばプラトンのような後代の著作家が引用する『イリアス』の一節が、私たちの手元にあるテクストと若干異なる場合も少なくなかった。ギリシア世界に行きわたるさまざまなテクストを丹念に比較・照合・調整することによって権威ある標準版を作り、普及させたのは、ヘレニズム時代エジプトのアレクサンドリアにあったムーセイオンの学者たちであった。それが、今日私たちの読むホメロス叙事詩の原形になったのである。

猪の牙の兜

『イリアス』を中心として「叙事詩の環」が補うトロイア伝説の内容については、本書が詳しく論じているので、ここでは補足として、青銅器時代の武具とくに猪の牙の兜を取り上げてみよう。

本書六七ページには、青銅器時代の代表的な武具として「猪の牙の兜」が言及されている。猪の牙を並べたヘルメットという説明ではうまくイメージがわかないが、百聞は一見にしかず。図をご覧いただくと一目瞭然。

そして兜といえば、本書に記述はないが、『イリアス』第六歌三九〇行以下の「ヘクトルとアンドロマケの別れ」という古来、名場面として名高いシーンは外せない。トロイアの守り手ヘクトルは、家族に別れを告げるべく戦闘の合間に王宮に戻り、他方、夫の身を案じるアンドロマケは、彼にひと目会いたい一心で幼い息子を伴って城壁の櫓のところまで出かけていた。彼らはようやくスカイア門で出会い、言葉を交わす。

ミュケナイ時代の、猪の牙をはめ込んだ兜。紀元前十四世紀頃。アテネ国立考古学博物館蔵。(Wikimedia commons)

兜が重要な役割を演じるのは、死の予感を胸に秘めた夫と妻のじつに抑制のきいた哀切な会話に続く場面である。武具をつけたままの姿の父親がわが子に手を差し伸べると、息子は「兜の頂きから馬毛の飾りが不気味に垂れて揺らぐさまを見て怯じ気づいた」。乳母の胸にしがみつく幼な子のようすがあまりにも愛らしく、ヘクトルとアンドロマケは思わず声を立てて笑う。その直後、ヘクトルは愛息を抱き上げ、神に祈る。それは、死が待ち受ける英雄の口から発せられる言葉であるだけにいっそう、子を思う親心が聴衆／読者の胸に切々と迫る。迫りくる悲しみの中にもなにげない日常をそっとすべりこませ、束の間の幸福な家族像を垣間見せるこの場面に、兜はなくてはならない小道具になっている。

トロイア伝説と後世

トロイア伝説が後世に及ぼした影響については、本書もエピローグその他で少し触れている。以下では邦訳で読める作品を中心に補足する。

ギリシア文学では、トロイア伝説はとても多くの作品の題材になった。『イリアス』と『オデュッセイア』はもちろんのこと、悲劇のジャンルではアイスキュロス『アガメムノン』とエウリピデスの『アウリスのイピゲネイア』（ともに本書三一ページ）そして『ヘレネ』（二九ページ）、さらにソポクレスの『ピロクテテス』および英雄アイアスの自死を扱う『アイアス』（三七ページ）などがこの伝説から生まれた。悲劇作品でトロイア伝説に依拠するものを列挙するとカタカナの羅列になるので控えるが、三三篇の現存する悲劇作品（サテュロス劇一篇も含める）のうち、半数近い十五篇がこの伝説に素材を求めた。

ローマに入ると、ラテン語で書かれたウェルギリウスの『アエネイス』がトロイア伝説の後代への伝播に決定的な役割を果たした。オウィディウスも『変身物語』や『ヘロイデス』その他の作品でこの伝説をしばしば取り上げた。後世への影響の大きさから、トロイア伝説に関するラテン語作品として忘れてはならないのは、ディクテュスの『トロイア戦争日誌』とダレスの『トロイア陥落物語』である。両書とも、ギリシア語で書かれた種本が元になっていてそれをラテン語訳したと主張し、偽書と一般に見なされている。種本の実在に関しては懐疑的な説が主流で、ことの真相は不明である。この散文二作品は、ギリシア語原典を読む者がいなかった中世ヨーロッパというラテン語世界で、非常に大きな影響を及ぼした。たとえば、これら二書を下敷きにして焼き直したグィド・デッレ・コロンネ『トロイア滅亡史』は、ホメロスを「欺瞞的作家」と罵倒する自称歴史書で、十三世紀後半のルネサンス前夜に大人気を博した。

他方、ローマ時代のギリシア語作品としては、一般に知られるトロイア伝説とはまったく異なるバージョンを展開する後二世紀後半のピロストラトス『英雄が語るトロイア伝説』や、ディオン・クリュソストモスの弁論作品『トロイア陥落せず』が書かれた。もっと後の時代になると、本書三八ページで引用されたクイントス・スミュルナイオス（四世紀？）『ホメロス後日譚』のほか、四世紀中葉と思しきトリピオドーロス『トロイア落城』や六世紀のコルートス『ヘレネ誘拐』も現れた。

以上のようなトロイア伝説から派生した作品（邦訳されていない作品も含む）については、拙著『ホメロス『オデュッセイア』――〈戦争〉を後にした英雄の歌』に詳しい。書誌情報も掲載されているので、ホメロスやトロイア伝説の受容についてもっと知りたい読者は、そちらをご参照いただきたい。

このあたりで絵画を見て一服しよう。本書二三ページは、ピーテル・パウル・ルーベンスの『パリスの審判』に言及している。「王の画家にして画家の王」と呼ばれるルーベンスは、各国の王侯貴族からの注文に応じてこの同じタイトルの絵を何枚も描いた。なかでも完成度の高いのが、本書の扉絵である。この一六三二―三五年頃のバージョンの『パリスの審判』（ロンドン、ナショナル・ギャラリー蔵）に描かれているのは、左から順に、エロス（アプロディテの息子とされ、アテナの武具をいじって遊んでいる）、戦さの女神アテナ（楯と鎧がそばにある）、自慢の裸身を誇らしげに披露する美の女神アプロディテ、結婚の守護神ヘラ（足元の孔雀はヘラの聖鳥）、三女神をイダ山まで先導した神ヘルメス（帽子の翼が特徴的）、羊飼いのパリス（美人コンテストの賞品の林檎をアプロディテに差し出している）。少し見えにくいが、画面上部にもうひとりいるのは復讐女神のひとり、アレクトである。

この絵は人物配置や女神たちのポーズの点で、マルカントニオ・ライモンディの銅版画『パリスの審判』（一五一七―二〇年頃、ニューヨーク、メトロポリタン美術館蔵）の影響を受けたという。ライモンディの銅版画の原案は、ルネサンスの巨匠ラファエロ・サンティの『パリスの審判』だった。ルーベンスはライモンディの銅版画をとおしてラファエロの同名絵画の影響を受けたことになる。このような影響関係は、意外なようだが、エドゥアール・マネ『草上の昼食』（一八六二―六三年、パリ、オルセー美術館蔵）までつながっていく。

絵画におけるトロイア伝説の後世への影響として、最後に、ピエール＝オーギュスト・ルノワールの『パリスの審判』（一九〇八―一〇年、広島、ひろしま美術館蔵）について、一言。画面には、いかにもこの巨匠ならではの、じつに豊満な裸体の三女神が並ぶ。あのルノワールが神話画も描いていたとは、ちょっと思いがけない気がする。そして何と言っても、日本国内にあるから見に行きやすい。けだし必見の一点である。

発掘前史

トロイアと言えばシュリーマン、シュリーマンと言えばトロイア。そんな連想がたちまち浮かぶほど、シュリーマンとトロイアの結びつきは強い。あたかも彼より前には戦跡地の実在を問うた者がひとりもいなかったかのように。だが、もしシュリーマンがフランク・カルヴァートを訪ねなかったら、アナトリア考古学のその後の軌跡は実際とは異なったであろう。シュリーマンがヒサルルックの発掘に着手する直接的なきっかけは、この丘こそまさにトロイアだというカルヴァートのゆるぎない信念であった。カルヴァートは丘を試掘することによって強い手ごたえを得たのだが、この信念の源泉をさかのぼると、本書一〇八ページにあるように、チャールズ・マクラーレンの提唱にたどり着く。では、彼の提唱の根拠はどこにあるのか？

トロイアの古代遺跡の地を突きとめる試みは、マクラーレン以前にはまったくなされなかったのだろうか？

本書はマクラーレン以前の事情に触れていないのでここでそれを補うと、トロイアの所在地の探索はじつはすでに十八世紀末に始まっていた。アナトリア西部の現地調査を初めて手がけたのはフランスのジャン＝バティスト・ルシュヴァリエだった。彼は、シュリーマンの発掘開始の八十六年も前の一七八四年にトロイア平原を調べて、平原南端のプナルバシュ（ブナルバシュとも発音する）という丘の上に、昔の住居跡を示す埋蔵塚を発見した。それ以来ずっとトロイアの戦跡地候補として最も有力視されたのはプナルバシュであり、ヒサルルックはこの頃には一顧だにされなかった。一方、アルザス出身の地理学者でエンジニアのフランツ・カウファーは、一七九三年に行なったトロイア平原の測量調査から、歴史上初めて、ヒサルルックの丘の上に古代遺跡を見いだした。

奇しくもカウファーが没した一八〇一年に、ケンブリッジ大学の鉱物学者エドワード・ダニエル・クラークが、ヒサルルックの丘に古典期（紀元前五世紀頃）のイリオンの遺跡の存在を確証した。これは考古学的にはトロイア第8市にあたる。それ以来いわば年代別棲み分け説、すなわち古典期のトロイアはヒサルルックにあるがホメロスが歌ったもっと昔のトロイアはプナルバシュにあるという説が優勢になった。

時は十九世紀後半。プナルバシュであれ、ヒサルルックであれ、そこがプリアモスの城壁があったトロイアの跡地だということを発掘によって証明しようという機運が高まるのは、当時の実証主義的潮流から当然の成り行きであった。プナルバシュの南東三キロのところに、当時トロイアのアクロポリスと見なされたバッル・ダーという高台がある。ドイツの建築家エルンスト・ツィラーとその師ハーンの一行がこのバッル・ダーに初めて鋤を入れたのは、一八六四年。シュリーマンによるヒサルルック発掘開始のわずか六年前のことであった。

しかし、その頃ポピュラーだった年代別棲み分け説に異議を唱えたのが、先に言及したチャールズ・マクラーレンであった。彼は一八二二年に、トロイアはホメロスからローマ時代まで終始一貫してヒサルルックにあったと主張し、その根拠を『イリアス』の描く地理の記述に求めた。世は、テクストを徹頭徹尾重視する文献学の時代でもあったのだ。マクラーレンのほかにも、ヘンリー・オーガム（一八四〇年）、グスタフ・フォン・エッケンブレッヒャー（一八四三年）、ジョージ・グロート（一八四六年）といった人々も、ヒサルルックをトロイアと見なした。

ヒサルルック発掘の直接的なきっかけと助言をシュリーマンに提供したフランク・カルヴァートは、マクラーレンの論評の影響を受け、ヒサルルックの丘のごく一部を自ら所有して一八六三年と一八六五年に試掘した。その結果、プナルバシュには古典期の遺跡しかなく、ヒサルルックには複数のもっと古い層があることを確認した。しかしながら、大規模な発掘の実施には莫大な資金が必要だ。それは今も昔も変わらない。強い信念とは裏腹に、悲しいかな、カルヴァートには先立つものがない。そこで彼は一八六三年に発掘資金の援助を大英博物館に要請したが、断られた。ここで大英博物館が快諾していたら功名心に満ちた大富豪には出番がなかったかもしれないが、彼はその五年後にカルヴァートの前に現われ、最終的には世紀の大発見の名誉を独り占めする。

カルヴァートとの出会いから二年も経たないうちに、シュリーマンはホメロスの歴史性を毫も疑うことなく、ヒサルリックの丘を掘り始めた。彼の発掘はトロイア戦争の歴史性の問題を解決へと導くかに見えたが、あにはからんや、混迷はますます深まった。やがて二十世紀初めにハットゥシャでヒッタイト文書が見つかってその解読が進み、問題解決への期待が高まったが、謎は依然として解けていない。

ヒッタイト文書

ヒッタイト帝国の首都に残された後期青銅器時代の文書には、なじみのない人名や地名が多い。また、本書では個々の文書の文脈や全体像が詳述されていないため、少々わかりにくい。そこでこの節では、トロイアのこととされるウィルサと、ギリシアを指すと一般に考えられているアッヒヤワに言及しているヒッタイト文書をピックアップし、時系列の順に並べて内容を整理し、各文書からわかることや特徴を明らかにする。

楔形(くさびがた)文字のヒッタイト語粘土板の文書記録が解読されるようになって百年あまり、文書の総計は現在では約一万枚に達する。そのうちトロイア戦争と関係がありそうなものは、紀元前一四一〇年頃から同一二二〇年頃までに作成された三十枚弱である。この戦争の歴史的真実性を考える場合、ヒッタイト文書に登場するイリオンやアッヒヤワの位置がまず問題になる。イリオンはトロイアのことであり、アッヒヤワはミュケナイ時代のギリシアもしくはミュケナイのことであると見なす研究者が多く、本書もその立場を取っている。だがこの前提には異論もある。

それはともかくとして、以下では、本書が取り上げる文書の概要と背景を、おもにラタチという学者の研究に依拠しながら見ていこう（ラタチも基本的にはクラインとほぼ同じ立場を取っている）。各文書の名称の次に記したのは、その文書が書かれたおおよその年代である。

（1）「トゥドハリヤ年代記」（紀元前十五世紀後半）

この年代記の特徴は、「アジア」の語源とされる「アッシュワ」が初めて言及されること、そしてアヒヤ（アッヒヤワの古名）および、それぞれイリオンとトロイアを指すと見なされるウィルシヤとタルイサの名が記されていることである（本書八六ページ）。

「アッシュワ同盟」成立の背景には、ヒッタイト帝国とアナトリア西南部に位置するアルザワ国の敵対関係があった。ヒッタイト王トゥドハリヤ一世／二世はアルザワまで遠征に出て、これを制圧した。そして王が首都に帰還すると、西アナトリアの土着の二二都市の王たちがヒッタイト帝国に抵抗する「アッシュワ同盟」を結成し、「アッシュワの乱」を起こした。王はただちにきびすを返し、反乱を鎮圧した。この文書で注目すべきことは、「アッシュワ同盟」が、アヒヤつまりギリシアと見なされる勢力から援助を受けたことを断片的ながらも示唆していることである。

この年代記にはアッシュワ同盟を構成する国々の名が記載され、「ウィルシヤの地、タルイサの地」がそのリストの最後に記されている。スイスの研究者エミール・フォラーの提唱（一九二四年）以来、ウィルシヤとタルイサはそれぞれイリオンとトロイアのことと一般に見なされているが、この年代記の記述は、この二つの地名が別々の国（ないしは地域）だという印象を与える。『イリアス』にはトロイエ（ホメロスはトロイアをトロイエと呼ぶ）が四九回、イリオスが一〇六回現われ、両者はほぼ同じ意味で用いられている。その使い分けは意味による場合もあるが、おもに韻律によるもので、しいて違いを言うならば、この地の住民はトロイア人と呼ばれることはあっても、イリオン人とは呼ばれないことであろうか。

「アッシュワ」は軍事同盟の名称としても地域名としても用いられ、地域名の場合には一般に、レスボスに近い沿岸地域（古典期にリュディアと呼ばれる地域）とその周辺を指したようだ。ヘルムート・テオドール・ボッセルトという二十世紀前半の学者が、アッシュワは「アジア」（小アジア）の語源だと唱え始めたが、近年の異論としては、この語をトロアド地方南沿岸のアッソスという地と結びつけるべきだという主張もある。

反ヒッタイト同盟軍の首謀者は、アルザワの王ピヤマ・クルンタであった。彼の兄弟が援助を集めようとして失敗すると、ピヤマ・クルンタはアッヒヤワの王とともに和平を求めて降伏した。本書にあるように、トゥドハリヤ一世／二世は首謀者を追放し、その子クックリをアルザワの侯王にした。だがその後、クックリもヒッタイト王に反逆して失敗した。

（2）「マッドゥワッタの起訴状」（紀元前十四世紀初頭）

本書八五ページで言及されるこの文書は、紀元前十四世紀初頭のアルヌワンダ一世の治世下に書かれたが、その前の王トゥドハリヤ一世／二世の時代に起こったことの記録が多くを占める。

マッドゥワッタはおそらく、南西アナトリアのルッカ（古典期にリュキアと呼ばれた地方）の王であったが、紀元前一四二〇年頃に、百台の戦車を率いてきた「アヒヤの男」アッタリッシヤからの襲撃により王位を失った。マッドゥワッタから救済を求められたトゥドハリヤ一世／二世は、ある条件を課して彼を受け入れ、ザッパスラという地を与えた。その条件とは、ザッパスラを拠点としてアルザワを侵略することであった。ヒッタイト王は、反旗を翻すライバル国アルザワを自己の支配下に置きたかったのである。

マッドゥワッタは課された条件に従ってアルザワを襲撃したものの、アルザワの王クパンタ・クルンタの反撃に遭い、ザッパスラを失った。そこでふたたびヒッタイト王に援軍を依頼し、その援助によってザッパスラの王位を回復した。ところがその後「アヒヤの男」アッタリッシヤから再度、攻撃を受け、マッドゥワッタはまたもや窮地に陥る。ヒッタイト王は将軍キスナピリを送って救援し、その後は彼をザッパスラに常駐させた。

しかしマッドゥワッタは、それまで二度にわたってトゥドハリヤ一世／二世に援助されて救われたにもかかわらず、あろうことか変節をとげる。すなわち彼はその後、自国拡大のためにアルザワの王と手を組み、他の候国を扇動してヒッタイト帝国に対して反乱を起こしたのである。さらに監視役のキスナピリも欺いて殺害した。それにとどまらず、アルザワの王クパンタ・クルンタの暗殺を謀ると同時に、その王女との政略結婚によってまんまとアルザワの王位を奪取した。

このようにして南西アナトリアで勢力を伸ばすと、マッドゥワッタは今度はアラシヤ（ヒッタイト帝国傘下の独立国のキュプロス島もしくはその一部）に食指を動かした。キュプロスは良質な銅を産出したため、青銅器時代には重要な地であった。彼は、往時の仇敵「アヒヤの男」アッタリッシヤと手を結んでアラシヤに侵攻するという、これまた信じがたいほどの裏切りを働いた。ちなみに、アッタリッシヤは「支配者」と呼ばれているが、アヒヤの王というわけではなく軍事的指導者だったようだ。以上のようなことから、ヒッタイトもアッヒヤワもアナトリア西部やキュプロスに関心を持っていたことがこの文書をとおしてわかる。

（3）「マナパ・タルフンタ書簡」（紀元前十三世紀初頭）

アナトリアとヒッタイトの交流は、「マッドゥワッタの起訴状」からおよそ一世紀の空白があるが、その後は「マナパ・タルフンタ書簡」を皮切りに頻繁になる。一九八〇年代に発見されたこの書簡への言及は、本書九一ページに見いだされる。

差出人のマナパ・タルフンタは「川の国セハ」の王である。「川の国セハ」がどこにあったかがこの書簡からわかるのだが、それは北西アナトリアに位置し、セハのさらに北西にウィルサがあった。受取人のヒッタイトの王の名は明記されていないが、紀元前一二九五年頃という書簡の年代から、ムルシリ二世（紀元前一三二一年頃—同一二九五年頃）かムワッタリ二世（紀元前一二九五年頃—同一二七二年）と推測される。

マナパ・タルフンタはムルシリ二世の統治の初期にはその支配に反抗していたが、やがて恭順の意を示し、その王位は安泰を保った。しかし次のムワッタリ二世の時代に、おそらく反逆者ピヤマラドゥに対抗する効果的な援助をヒッタイト帝国に提供しなかったためにマナパ・タルフンタは王位を失い、息子とおぼしきマストゥリにとってかわられた。

反逆者ピヤマラドゥの名はヒッタイト文書で何度か目にするが、彼が初めて登場するのはこの書簡である。西アナトリアにはヒッタイト帝国に従属する国がいくつかあったが、ピヤマラドゥはそれらの国々をおよそ三十五年間にわたって襲撃し続けた。彼はどうやら、紀元前一三〇〇年以前にムルシリ二世に放逐されたアルザワの王の孫だったようだが、アッヒヤワの王の庇護を受けながら各地を荒らしまわったあげく、アッヒヤワの前進基地だったミラワタ（のちのミレトス）の王女と結婚したという。

差出人のマナパ・タルフンタは、自国がピヤマラドゥの襲撃に悩んでいることをこの書簡で訴えた。ヒッタイト王はピヤマラドゥを追い出すよう彼に命じたが、追放の試みは失敗に終わった。一方、ピヤマラドゥがウィルサを襲撃していたとき、ヒッタイト王は援軍を派遣した。援軍はウィルサに向かう途中で川の国セハに立ち寄ったが、本書九一—九二ページに引用された自己弁明のように、そのときマナパ・タルフンタは病気を口実として、援軍とともに出

陣することを回避した

（4）「アッヒヤワの王からヒッタイトの王への書簡」（紀元前十三世紀初頭から中葉）

この書簡は、本書九〇ページで言及されている。一九二八年以来ずっと、ヒッタイト王が書いたと考えられていたが、二〇〇三年にテュービンゲン大学のシュターケが、ヒッタイト語よりギリシア語を母語とする書き手の特徴が文面に認められるとして、アッヒヤワの王がヒッタイト王に送った書簡であるという訂正案を唱えた。本書はこの書簡の受取人をムワッタリ二世と見なすが、ハットゥシリ三世（紀元前一二六七年頃―同一二三七年頃）とする説も有力だ。

損傷の激しい書簡だが、その内容はエーゲ海の島々の所有権に関するものである。問題の島々とはおそらくレムノス島、インブロス島そして／ないしはサモトラケ島と推測される。この書簡は、その前便でヒッタイトの王がこれらの島々の領土所有権を主張したことを受け、それに対する反論として書かれた。その内容は本書に譲るが、かつてアッヒヤワの王の先祖がアッシュワの王から嫁資としてこれらの島々を受け取ったのであった。書簡受取人と見なされるワッタリ二世の曽祖父は、「トゥドハリヤ年代記」でアッシュワを従属させたとされている王トゥドハリヤ一世／二世である。この書簡からは、ヒッタイトとアッシュワが姻戚関係を結ぶほど親和的な関係に転じたことが読み取れる。

アッシュワは「トゥドハリヤ年代記」ではアナトリアの二二国の同盟の名称だったが、ここでは国名になっている。一説によると、アッシュワ国は紀元前十五世紀末までのウィルサの前身だったという。そしてこの書簡には、アッシュワの王としてカガムナ（Kagamuna）という名が記されている。一部の研究者はこの名を、ギリシアの古都テーバイを建設した英雄カドモス（Kadmos）と同一視する。だがギリシアの伝説ではカドモスは、ゼウスに誘拐されて行方不明になった妹エウロペを探してフェニキアから来た人物である。つまりギリシアの伝説を見る限りでは、ヒッタイトないしは北西アナトリアとカドモスの関連は見いだされない。

ここでちょっと脱線してカドモスの国テーバイに少し触れる。ある仮説によると、テーバイは紀元前十三世紀頃にはギリシアの中でも最も強大な国で主導権を握っていたという。ヒッタイト文書に出てくるアッヒヤワがギリシアを意味するとすれば、それはテーバイを指したのではないかと解釈されているのだ。その根拠となるのは、一九九三年にテーバイで水道管工事が行なわれていたときに発見された、かなりの量の線文字B粘土板である。その後の調査で粘土板は二五〇枚以上に達し、クレタ島のクノッソス出土の三五〇〇枚、ペロポンエソス半島南部のピュロス出土の一二〇〇枚に次ぐ量になっている。

アッヒヤワがどこにあったかも議論の絶えない問題だが、当面はこれ以上深入りせず、ヒッタイト文書に戻ろう。

（5）「アラクサンドゥ条約」（紀元前一二八〇年頃）

この条約は、ヒッタイト王ムワッタリ二世とウィルサの王アラクサンドゥの間で紀元前一二八〇年頃に締結された。条約の内容について本書九二ページによると、ムワッタリ二世がその祖父であるシュッピルリウマ一世とウィルサの王クックンニ（アラクサンドゥの前任者）の友好関係を盾に、同様の友好的な保護関係を子々孫々まで継続することを確認しているという。ただし、過去の友好関係への言及はこの条約の内容の一部に過ぎず、他にも次のことが「アラクサンドゥ条約」からわかる。

①ウィルサは紀元前一六〇〇年以前の時期にヒッタイトの大君に服従させられた。

②トゥドハリヤ一世／二世統治下（紀元前一四二〇頃―同一四〇〇年頃）でヒッタイトがアルザワと交戦していた時期に、ウィルサはヒッタイト帝国から首尾よく離れることができなかった。

③ヒッタイト王シュッピルリウマ一世の時代（紀元前一三五五頃―同一三二〇年頃）に、ウィルサは反ヒッタイトのアルザワと連携しなかった。

④ウィルサは、アルザワとヒッタイト王ムルシリ二世の戦争に関与しなかった。

⑤ウィルサの王アラクサンドゥとヒッタイト王ムワッタリ二世の間で、ウィルサをヒッタイトの保国とする条約が締結された。この条約で前提とされている島々の所有権については、先述の「アッヒヤワの王からヒッタイトの王への書簡」に詳しい。

（6）**「タワガラワ書簡」（紀元前十三世紀中葉）**

本書九四ページ以下で言及されるこの書簡の受取人はアッヒヤワの王だが、その名は不明で、タワガラワはこの王の兄弟である。差出人のヒッタイト王の名も不明だが、ハットゥシリ三世、もしくはその兄弟のムワッタリ二世と推測される。

この書簡で注目されるのは、ヒッタイト王がアッヒヤワの王に「わが兄弟よ」と呼びかけていることである。この呼びかけはエジプト王と同列の処遇であり、ヒッタイト王がアッヒヤワを重要視していたことを示す印だ。また、アッヒヤワがヒッタイトの勢力範囲の外に位置していたことも、書簡全体からうかがえる。

書簡の三枚目しか見つかっていないため全容はわからないが、三枚目では、反ヒッタイト活動を展開するピヤマラドゥ――「マナパ・タルフンタ書簡」で初登場した反逆分子――が話題にのぼっている。ヒッタイトの王はピヤマラドゥの引き渡しをアッヒヤワの王に要求し、それがうまくいくようにちょっと複雑な細工をした。すなわちヒッタイトの王は、自分からの伝言ではなくアッヒヤワの王からの伝言としてピヤマラドゥに伝えてくれと頼んでいるのである。文面にある敵対関係が何をめぐる対立だったかという肝心の部分が欠けているものの、両国の争点はウィルサに関する事柄だったのであろうと推測されている。

ウィルサがトロイアのことであり、アッヒヤワがギリシアを指すとすれば、この書簡はヒッタイトとギリシアの間に、トロイアをめぐる争いがあったことを示唆することになる。トロイアが戦場になった可能性もないわけではない。しかしトロイアとギリシアの間で戦われた争いでない以上、これをトロイア戦争と直結させるのは難しそうだ。

この書簡では、ミラワタ（ミレトスのことでミラワンダとも呼ばれる）がアッヒヤワの保護領として話題に上る。ミラワタは、アッヒヤワ国の小アジアにおける橋頭保の役割を果たしていた。ピヤマラドゥはここに活動基盤を置きながら、ヒッタイト帝国への反逆を長年続けていたのだった。そしてヒッタイトにとって、アッヒヤワとも、そして同時にミラワタとも、友好関係を維持することが重要だったことが、この書簡から読み取れる。

（7）「ミラワタ書簡」（紀元前十三世紀末）

前述の「タワガラワ書簡」に出てきたミラワタの名を冠した書簡である。本書九六ページに記載されている。その差出人と受取人の名は不明だが、おそらくヒッタイト王トゥドハリヤ四世（紀元前一二三七年頃―同一二〇九年頃）がこれを送り、ミラという西アナトリアにあった従属国の王タルカスナワが受け取ったと推測されている。タルカスナワはミラワタの王アトパの息子で、紀元前十三世紀後半にヒッタイト王によって退任させられたアッヒヤワの代表だったと考えられている。この書簡からは、ウァルムという人物の王位継承権を復活させようとヒッタイトの王が骨折っていることがわかる。ウァルムはウィルサの王アラクサンドゥの王位継承者だったが、ウィルサで廃位され、その後はミラの王の元に身を寄せていたようだ。

この書簡には、「マッドゥワッタの起訴状」で言及される「アヒヤの男」アッタリッシヤが百台の戦車を率いてやってきたと記されている。何百頭もの馬に海を渡らせるのはかなり困難なことだから、アッヒヤワはエーゲ海の彼方のギリシアを指したのではなかった可能性もある。ミレトスはアッヒヤワの前哨基地だったため、ひょっとするとアッヒヤワという語はミレトスを意味したかもしれない。もしそうなら、海を越えることなく馬を調達できただろう。

（8）「サウスガムワ条約」の草稿（紀元前十三世紀末）

本書はこの文書を取り上げていない。しかしこれは、ヒッタイトとアッヒヤワの関係性を考えるうえで重要な文書である。「サウスガムワ条約」の草稿は、「タワガラワ書簡」の約二十年後にヒッタイト王トゥドハリヤ四世が、レバノンの北方でキュプロス島の対岸付近にあったアムルという国の王サウスガムワと結んだ条約の下書きである。この条約のねらいはアッシリアとアッヒヤワの交易の停止にあり、そのためにヒッタイト帝国はアッシリアへの禁輸措置をアムルに課す。アムル国はアッヒヤワとアッシリアの貿易ルート上にあったため、アムルに圧力をかければ貿易封鎖が可能になるからであった。

これが草稿だとわかるのは、差出人のトゥドハリヤ四世が「そして私と同等の位階にある王たちは、エジプトの王、バビロニアの王、アッシリアの王、アッヒヤワの王……」といったん書いたにもかかわらず、最後の「アッヒヤワの王」の部分を消し、その削除線の跡が残っているからだ。文面を打ち消した痕跡は何を意味するか。それは、ヒッタイトにとって重要な国々からアッヒヤワを排除したことである。「タワガラワ書簡」でヒッタイトの王はかつて、ヒッタイトとアッヒヤワの交戦はよくないと明言した。友好関係が重視されていた。それにもかかわらずこの草稿でアッヒヤワが重要国から削除されたのは、両国の関係の冷却化を示唆する。その背景の事情として、紀元前十三世紀後半にアッヒヤワの勢力が拡大したことが想定される。強大になったアッヒヤワはヒッタイトにとって脅威になったのではないかと推測されるのである。

「トロイア戦争という謎」の未来

トロイア戦争と関係のありそうなヒッタイト文書は以上であるが、これらを見ても、アナトリアの中央部に位置する大国ヒッタイトと、トロイア戦争と呼ばれる、ギリシアとトロイアの間の争いがいったいどう結びつくのか、本当にわかりにくい。問題を複雑にしている原因を整理すると、

①トロイア戦争という概念はギリシア文学にしかない。ヒッタイト文書もヒサルルック遺跡での発掘も、この概念の歴史的真実性を確証する情報を、今のところ発していない。

②ホメロス叙事詩は純然たる歴史資料となることを意図して創作されたのではない。また、ホメロス叙事詩にはヒッタイトへの言及が一切ない。

③考古学資料はその遺跡で戦われた戦争があったことを示す場合でも、その詳細情報となるとしばしば難しい。文書記録が出土し、正確に解読されない限り、あいまいだ。

④ヒッタイト文書は多くの手がかりを提供するが、問題が紛糾する根底には、アッヒヤワ、ウィルサ、アッシュワなどが正確にどこにあったか、その位置の同定が確定的でないことがあげられる。本書では一般に認められた説が紹介されたが、異論もいくつか唱えられている。またヒッタイト語の解釈と翻訳にも、まだ発展の余地がまだありそう

だ。

⑤トロイア人が使用したと思われるルウィ語の出土品がきわめて少ない。

謎の解明を阻む要因は他にもまだあるだろう。けれどもそこで改めて問う、トロイア戦争は歴史的現実として起こったのか、それとも「ありもしなかったこと」なのに、「ただ先祖たちから教わっただけで、真実として通用」していただけなのか？（パスカル『パンセ』ラフュマ版四三六／ブランシュヴィック版六二八）

この謎がこの先、解明されるかどうか。その未来を考えてみると、希望はあるように思う。希望を担保するのは学問の発展である。ギリシア文学では二十世紀にパピルスが大量に発見されて新たな知見が加わり、ホメロス研究も十九世紀的なパラダイムから飛翔した。考古学の領域ではコルフマンのチームが最新のテクノロジーを駆使して、それまで未知だった都市域を発見した。ヒッタイト文書の発見と解読はこの百年ほどで進展した。過去百年に開拓されてきた道を振り返ると、未来の扉を開く鍵もきっとあるに違いない。

文学と考古学と歴史学の三つの領域、それに加えて言語学も、今後さらにもっと研究され、発展し、領域横断的に協業することによって、トロイア戦争をめぐる調和的な一致点に一歩でも近づけば、この謎は解決に向かって前進するかもしれない。そんな期待をこめて筆を擱く。

参考文献（本文中で引用された原典の邦訳は引用出典の欄に記載）

大村幸弘著、大村次郷写真『トロイアの真実――アナトリアの発掘現場からシュリーマンの実像を踏査する』山川出版社、二〇一四年

岡道男『ホメロスにおける伝統の継承と創造』創文社、一九八八年

エーベルハルト・ツァンガー『甦るトロイア戦争』和泉雅人訳、大修館書店、一九九七年

エバーハート・ツァンガー『天からの洪水――アトランティス伝説の解読』服部研二訳、新潮社、一九九七年

キケロ『弁論家について』「キケロー選集第七巻」大西英文訳、岩波書店、一九九九年

高橋裕子他『名画への旅　第十三巻』講談社、一九九三年

デイヴィッド・トレイル『シュリーマン――黄金と偽りのトロイ』周藤芳幸・澤田典子・北村陽子訳、青木書店、一九九九年

西村賀子『ホメロス『オデュッセイア』――〈戦争〉を後にした英雄の歌』岩波書店、二〇一二年

ハインリヒ・シュリーマン『古代への情熱』村田数之亮訳、岩波書店、一九七六年

ブレーズ・パスカル『パンセ（中）』塩川徹也訳、岩波書店、二〇一五年

Beckman, G. M., Bryce, T. R. and Cline, E. H.（eds.）. 2011. *The Ahhiyawa Texts*. Atlanta: Society of Biblical Literature.

Cline, E.H. 2014. *1177B.C.: The Year Civilization Collapsed*. Princeton NJ: Princeton University Press.／エリック・H・クライン『B.C.一一七七――古代グローバル文明の崩壊』安原和見訳、筑摩書房、二〇一八年

Easton, D. 1997. *Mysteries: The Quest for Troy*. London: Weidenfeld Nicolson.／ドナルド・イーストン『トロイ――木馬伝説の古代都市』五十嵐洋子訳、主婦と生活社、一九九八年

Latacz, J. 2004. *Troy and Homer: Towards a Solution of an Old Mystery*. Oxford: Oxford University Press.

Steiner, G. 2007. "The Case of Wilušsa and Ahhiyawa." *Bibliotheca Orientalis* 64.5–6: 590–612.

Wiener, M. H. 2007. "Homer and History: Old Questions, New Evidence." *Aegaeum* 28: 3–33.

Teffeteller, A. 2013. "Singers of Lazpa: Reconstructing Identities on Bronze Age Lesbos." *Luwian Identities: Culture, Language and Religion Between Anatolia and the Aegean*. Leiden: Brill. 567–589.

訳者あとがき

本書は Eric H. Cline, *The Trojan War: A Very Short Introduction*, Oxford University Press, 2013 の全訳である。原著の副題は、本書が Very Short Introductions という学術入門叢書の一冊であることを告げる。このシリーズはオックフォード大学出版局が一九九五年から継続的に刊行している、文字どおり非常に短い叢書である。そのテーマはじつに多岐にわたり、刊行点数はゆうに六〇〇点を超えている。各書はいずれも二〇〇ページを下回るほどコンパクトでありながら必要最小限の知識が凝縮され、広く人気を博している。本シリーズのHPによると、これまで総計五三か国語に翻訳されている。要を得た簡便な入門書をそろえ、現代の最先端の学問成果を盛り込んだこの叢書には、日本語に翻訳されたものも多い。本叢書のうち邦訳されているものの一覧が、次のURLから見られる。

https://www.oupjapan.co.jp/ja/academic/vsi/index.shtml

本書への評価は高く、アナトリア考古学専門家でオーストラリアの研究者のトレヴァー・ブライスは、「ホメロスの名高い都市トロイアの伝説・歴史・考古学への簡潔でよくまとめられた非常に有益な入門書」という賛辞を寄せている。

次に著者について紹介すると、エリック・H・クラインは一九六〇年生まれ。一九八二年にダートマス大学で古典考古学の学士号を、一九八四年にイエール大学より中近東言語学・文学の修士号を、そして一九九一年にペンシルベニア大学より古代史の博士号を取得した。現在はジョージ・ワシントン大学の古典学と人類学の教授、キャピトル考古学研究所所長、そしてアメリカ考古学研究所とアメリカン・スクール・オブ・オリエンタル・リサーチの理事・委員を務めている。これまでにイスラエル、エジプト、ヨルダン、キュプロス、ギリシア、クレタ島、アメリカで考古学的調査や発掘に従事した。歴史や考古学に関する英米のドキュメンタリー番組にもたびたび出演し、アメリカ考古学会の重鎮でもある。

クラインはこれまでオリエント、エジプト、ギリシアなどの考古学関係の書籍や論文を数多く著してきた。トロイア戦争に関連する著作としては、本書刊行の二年前に『トロイアを求めて掘る――ホメロスからヒサルルックへ』(共著、二〇一一年)を上梓したが、これは未邦訳である。彼の著作では、『B.C.一一七七』(安原和見訳、筑摩書房 二〇一八年。原著刊行は二〇一四年)が邦訳されている。その内容は本書とも一部分重なるが、後期青銅器時代の社会全体が紀元前十二世紀末に一挙に崩壊した原因をさぐるべく、本書より広大な空間と長いタイムスパンを包括的な視点から考察している。

個人的な思い出を記すことをお許しいただきたい。訳者がまだ学生で、岩波文庫版の『イリアス』と『オデュッセイア』の訳者松平千秋先生にご指導いただいていた頃、あるとき先生が、ヒッタイトの文書にトロイア戦争に関係することが書いてあるとおっしゃったことがあった。それはいったいどういうことなのだろうと、そのときとても不思議に思った。ギリシアとヒッタイトの間にどんな関係があったのか、ヒッタイト文書に何が書かれているか、いつか知りたいとぼんやりと思ったが、年月を経るうちにこの問題はどんどん頭の隅に追いやられていった。本書の翻訳をとおして、この問題にようやく着手する機会を頂戴できたのは、ありがたいことであった。

トロイア戦争を単発の戦争としてではなく、後期青銅器時代の国々の同時的瓦解という世界史的大事件の一環としてとらえられるようになったこと、ギリシアの暗黒時代と呼ばれる無文字時代を戦争のいわば後遺症として歴史の大きな流れの一環ととらえることができたことは、本書の翻訳とその準備によって得られた大きな収穫である。

最後にお断りすべきことがある。原書にはいくつかのささいな誤記や、考古学専門の原著者とギリシア文学専攻の訳者の認識の違いなどがあったが、それらについては、原著者から許可をいただいたうえで修正して翻訳した。これらについて、訳書でその個所をいちいち明示したわけではないことをご了承いただきたい。なお、訳注は本文中に〔 〕で表わした。

翻訳の過程で助けてくださった方々のお名前をこの場を借りて記させていただきたい。とくに、京都大学名誉教授の中務哲郎先生には、訳者が見過ごしていた点をご指摘いただくなど、有益なご助言をいただいた。また、名古屋大学大学院文学研究科教授の周藤芳幸先生には、考古学に関することで多くのご教示をたまわった。参考文献にあげた大村幸弘先生は訳者の質問に快くご返答をくださった。トルコの地名の発音に関しては、『ふだん着のイスタンブール』(晶文社)、『トルコ　旅と暮らしと音楽と』(晶文社)、『トルコの幸せな食卓』(洋泉社)などの著者、友人細川直子さんにお世話になった。みなさまにお礼申し上げます。

最後に、本書も『オリュンポスの神々の歴史』と同様に、白水社の糟谷泰子さんのすばらしい手腕と迅速かつ丁寧なお仕事のおかげで、本書のできばえは私の力をはるかに上回っている。心から感謝申し上げます。

二〇二一年睦月

西村　賀子

索引

あ行

か行

さ行

た行

な行

は行

ま行

や行

ら行

わ行

引用出典

本書全体をとおして『イリアス』の英訳は次のものに従う。A. T. Murray, *The Iliad, Books 1–12*; revised by William F. Wyatt（Cambridge, MA: Harvard University Press, 1999）; Richmond Lattimore, *The Iliad of Homer*（Chicago: University of Chicago Press, 1961）; あるいは、Robert Fagles, *Homer: The Iliad*（New York, Penguin, 1991）。『オデュッセイア』の英訳は次のものに従った。A. T. Murray, *The Odyssey*（Cambridge, MA: Harvard University Press, 1984）。「叙事詩の環」からの英訳は、H.G. Evelyn-White, *Hesiod, the Homeric Hymns and Homerica*（London: W. Heinemann, 1914）; クイントス・スミュルナイオスは、Alan James, *Quintus Smyrnaeus: The Trojan Epic*（*Posthomerica*）（Baltimore: Johns Hopkins University Press, 2004）に、ヘロドトスは、George Rawlinson, *Herodotus: The Histories*（New York: Random House, 1997）に、そしてヒッタイト語のアッヒヤワのテクストは、Gary Beckman, Trevor Bryce, and Eric H. Cline, *The Ahhiyawa Texts*（Atlanta: Society of Biblical Literature, 2011）に従う。トロイアでの近年の発掘の発見に関する情報は、1991 年から 2009 年に年 1 回刊行された定期刊行物の *Studia Troica* におもに由来する。英語論文も多いが、ほとんどはドイツ語で書かれている。〔ホメロス叙事詩の邦訳は、松平千秋訳『イリアス』全 2 巻（岩波書店 1992 年）と松平千秋訳『オデュッセイア』全 2 巻（岩波書店 1994 年）を用いた。「叙事詩の環」については原著の英訳を尊重しながら、中務哲郎訳『ホメロス外典／叙事詩逸文集』（京都大学学術出版会 2020 年）も参照した。クイントス・スミュルナイオスについては北見紀子訳『ホメロス後日譚』（京都大学学術出版会 2018 年）を用い、ヘロドトスについては松平千秋訳『歴史』全 3 巻（岩波書店 1971–72 年）を用いた。ウェルギリウスについては岡道男・高橋宏幸訳『アエネーイス』（京都大学学術出版会 2001 年）を用いた〕

第 2 章　トロイア戦争の歴史的背景

「異国の民は故郷の島々で共謀した」：翻訳は、W. F. Edgerton and J. A. Wilson,

Historical Records of Ramses III: The Texts in Medinet Habu, vols. 1 and 2 (Chicago: University of Chicago Press, 1936), 53, pl. 46、および次の論文に見いだされる改訂訳に従った。J. A. Wilson, "The War Against the Peoples of the Sea," in *Ancient Near Eastern Texts Relating to the Old Testament, Third Edition with Supplement*, ed. J. Pritchard, 262–63 (Princeton, NJ: Princeton University Press, 1969).

第３章　ホメロス問題

「ただひとりの人物によって発明された」: Jay Tolson, "Was Homer a Solo Act or a Bevy of Bards? Classicists Have Few Clues but Lots of Theories," *US News and World Report*, July 24, 2000, 39; オンラインで利用できる。
http://www.usnews.com/usnews/doubleissue/mysteries/homer.htm (2012 年 11 月 4 日に最終アクセス)〔2021 年 1 月 11 日にアクセスするも確認できず〕

第４章　ヒッタイト文書

「大王トゥドハリヤはアッシュワ国を滅ぼせしゆえ」: 次のものに従った翻訳。Ahmet Ünal, A. Ertekin, and I. Ediz, "The Hittite Sword from Bogazkoy——Hattusa, Found 1991, and Its Akkadian Inscription," *Muze* 4 (1991): 51.

「全面戦争から一つか二つの小競り合い、あるいは複数の外交ルートを通じて行なわれたただの口論」*The Ahhiyawa Texts*, ed. Gary Beckman, Trevor Bryce, and Eric H. Cline, 121 (Atlanta: Society of Biblical Literature, 2011) 所収の Trevor Bryce のコメンタリー。

「険しいウィルサから彼らがやってきたとき」Calvert Watkins, "The Language of the Trojans," in *Troy and the Trojan War: A Symposium Held at Bryn Mawr Collge, October 1984*, ed. Machteld J. Mellink, 45–62, esp. pp.58–62 (Bryn Mawr, PA: Bryn Mawr College, 1986).

第５章　初期の考古学者たち

「大きなナイフでその財宝を切り離した」: Heinrich Schliemann, *Troy and Its Remains: A Narrative of Researches and Discoveries Made on the Site of Ilium, and in the Trojan Plain* (New York: Benjamin Blom, Inc., 1875 を引用している David A. Traill, *Schliemann of Troy: Tresure and Deceit* (New York: St Martin's Griffin, 1995)

111から。

「トロイアの実在とその遺跡をめぐる長きにわたる論争」：Michael Wood, *In Search of the Trojan War*, 2 nd ed.（Berkekey: University of California Press, 1996）, 91、その引用と翻訳の元は、Wilhelm Dörpfeld, *Troja und Ilion: Ergebnisse der Ausgrabungen in den vorhistorischen und historischen Schichten von Ilion*, 1870–1894（Athens: Beck & Barth, 1902）.

第6章　ヒサルルックに戻って

「この提唱は『たしかに観察事実に合う』」：Carl W. Blegen, *Troy and the Trojans*（New York: Praeger, 1963）, 145。

「デルプフェルトですら……指摘した」：Manfred Korfmann, "Die Arbeiten in Troia/Wilusa 2003; Work at Troia/Wilusa in 2003," *Studia Troica* 14（2004）: 5 and 14。

「この大惨事の原因を激しい地震とすることに……確信をいだいている」Carl W. Blegen, John L. Caskey, and Marion Rawson, *Troy III: The Sixth Settlement*（Princeton, NJ: Princeton University Press, 1953）, 331。

「シンシナティ大学発掘隊が出した証拠」：George Rapp Jr., "Earthquakes in the Troad," in *Troy: The Archaeological Geology*, ed. G. Rapp and J. A. Gifford, 55–56（Princeton, NJ: Princeton University Press, 1982）。

「いたるところに火災の被害の跡があった」：Carl W. Blegen, Cedric G. Boulter, John L. Caskey, and Marion Rawson, *Troy IV: Settlements VIIa, VIIb and VIII*（Princeton, NJ: Princeton University Press, 1958）, 11–12。

「火災で黒焦げになった残骸」：Carl W. Blegen, *Troy and the Trojans*（New York: Praeger, 1963）, 162。

「この遺跡をすぐさま再占領した」：Carl W. Blegen, Cedric G. Boulter, John L. Caskey, and Marion Rawson, *Troy IV: Settlements VIIa, VIIb and VIII*（Princeton, NJ: Princeton University Press, 1958）, 142。

「私たちがまったく自由に変えるとしたら」：Carl W. Blegen, Cedric G. Boulter, John L. Caskey, and Marion Rawson, *Troy IV: Settlements VIIa, VIIb and VIII*（Princeton, NJ: Princeton University Press, 1958）, 144。

「骨折りながら小さな区画ずつしか発掘できない」：Peter Jablonka, "Troy," in *The Oxford Handbook of the Bronze Age Aegean*, ed. Eric H. Cline, 853（New York: Oxford University Press, 2010）。

「戦争に起因する破壊が原因で」：Manfred Korfmann, "Die Arbeiten in Troia/Wi-

lusa 2003; Work at Troia/Wilusa in 2003," *Studia Troica* 14 (2004): 15, 16 ページの表。

「軍事的事件」: Manfred Korfmann, "Troia——Ausgrabungen 1995,"*Studia Troica* 6 (1996): 7. 同 34–39 も参照せよ。

「投石器の弾丸の山」: Manfred Korfmann, "Was There a Trojan War?" *Archaeology* 57/3 (2004): 37。

「今や証拠は、火災による燃焼と破滅的状況です」: BBC 放送のドキュメンタリー番組「トロイアの真実」のコルフマンの発言記録。

http://www.bbc.co.uk/science/horizon/2004/troytrans.shtml (2012 年 10 月 4 日に最終アクセス)。〔2021 年 1 月 11 日、確認〕

「見苦しい鉄拳勝負」: Philip Howard, "Troy Ignites Modern-Day Passions," *Australian*, February 26, 2002, 12。

エピローグ

「トロイア戦争のモチーフ」: Susan Sherratt, "The Trojan War: History or Bricolage?" *Bulletin of the Institute for Classical Studies* 53.2 (2010): 5。Kurt A. Raaflaub, "Homer, the Trojan War, and History," *Classical World* 91/5 (1998): 393 の類似の陳述も参照せよ。

「実際に起きた歴史的事件の細部に変更を加えた」: Suzanne Saïd, *Homer and the Odyssey* (Oxford: Oxford University Press, 2011) 76–77。

「それほどむずかしいのか、アキレウスよ、／死ぬのはそれほどむずかしいことか?」: 初出は *London Mercury* 1:3 (January 1920): 267。リプリント版は Elizabeth Vandiver, *Stand in the Trench, Achilles: Classical Receptions in British Poetry of the Great War* (Oxford: Oxford University Press, 2010), 270–71。

参考文献

トロイア戦争

Alexander, Caroline. *The War that Killed Achilles: The True Story of Homer's Iliad and the Trojan War. New York*: Viking, 2009.

Blegen, Carl W. *Troy and the Trojans*. New York: Praeger, 1963.

Bryce, Trevor L. "The Trojan War." In *The Oxford Handbook of the Bronze Age Aegean*, ed. Eric H. Cline, 475–82. New York: Oxford University Press, 2010.

Castleden, Rodney. *The Attack on Troy*. Barnsley, UK: Pen & Sword Books, 2006.

Dickinson, Oliver. "Was There Really a Trojan War?" In *Dioskouroi. Studies presented to W. G. Cavanagh and C. B. Mee on the anniversary of their 30-year joint contribution to Aegean Archaeology*, ed. C. Gallou, M. Georgiadis, and G. M. Muskett, 189–97. Oxford: Archaeopress, 2008.

Fields, Nic. *Troy c.1700–1250 BC*. Oxford: Osprey Publishing, 2004.

Finley, Moses I. "The Trojan War." *Journal of Hellenic Studies* 84 (1964): 1–9.

Graves, Robert. *The Siege and Fall of Troy*. London: The Folio Society, 2005.

Korfmann, Manfred. "Was There a Trojan War? Troy Between Fiction and Archaeological Evidence." In *Troy: From Homer's Iliad to Hollywood Epic*, ed. Martin M. Winkler, 20–26. Oxford: Blackwell, 2007.

Latacz, Joachim. *Troy and Homer: Towards a Solution of an Old Mystery*. New York: Oxford University Press, 2004.

Raaflaub, Kurt A. "Homer, the Trojan War, and History." *Classical World* 91/5 (1998): 386–403.

Sherratt, Susan. "The Trojan War: History or Bricolage?" *Bulletin of the Institute for Classical Studies* 53.2 (2010): 1–18.

Strauss, Barry. *The Trojan War: A New History*. New York: Simon & Schuster, 2006.

Thomas, Carol G., and Craig Conant. *The Trojan War*. Westport, CT: Greenwood Press, 2005.

Thompson, Diane P. *The Trojan War: Literature and Legends from the Bronze Age to the Present*. Jefferson, NC: McFarland, 2004. ［関連サイト：http://novaonline.nvcc.

edu/Eli/Troy/BbVersion/Troy/index.html]〔2021 年 1 月 11 日、確認〕
Winkler, Martin M., ed. *Troy: From Homer's Iliad to Hollywood Epic*. Oxford: Blackwell, 2007.
Wood, Michael. *In Search of the Trojan War*. 2nd ed. Berkeley: University of California Press, 1996.

ホメロスなど初期の文学作品

Burgess, Jonathan S. *The Tradition of the Trojan War in Homer & the Epic Cycle*. Baltimore, MD: Johns Hopkins University Press, 2001.
Dalby, Andrew. *Rediscovering Homer: Inside the Origins of the Epic*. New York: W. W. Norton, 2006.
Finkelberg, Margalit, ed. *The Homer Encyclopedia*. 3 vols. Oxford: Wiley-Blackwell, 2011.
James, Alan. *Quintus Smyrnaeus: The Trojan Epic*（*Posthomerica*）. Baltimore, MD: Johns Hopkins University Press, 2004.
Lord, Albert. With Steven Mitchell and Gregory Nagy, ed. *The Singer of Tales*. 2nd ed. Cambridge, MA: Harvard University Press, 2000.
Nagy, Gregory. *The Best of the Achaeans: Concepts of the Hero in Archaic Greek Poetry*. Baltimore, MD: Johns Hopkins University Press, 1979.
Parry, Adam, ed. *The Making of Homeric Verse: The Collected Papers of Milman Parry*. Oxford: Oxford University Press, 1971.
Powell, Barry B. *Homer*. 2nd ed. Oxford: Wiley-Blackwell, 2007.
Powell, Barry B. *Homer and the Origin of the Greek Alphabet*. Cambridge: Cambridge University Press, 1996.
Saïd, Suzanne. *Homer and the Odyssey*. Oxford: Oxford University Press, 2011.
Thomas, Carol G., ed. *Homer's History: Mycenaean or Dark Age?* Huntington, NY: Robert E. Krieger, 1977.
West, Martin L. "The Invention of Homer." *Classical Quarterly* 49（1999）: 364–82.
Willcock, Malcolm. "Neoanalysis." In *A New Companion to Homer*, ed. Ian Morris and Barry B. Powell, 174–92. Leiden: Brill, 1997.

アキレウスとトロイアのヘレネ

Austin, Norman. *Helen of Troy and Her Shameless Phantom*. Ithaca, NY: Cornell University Press, 2008.

Hughes, Bettany. *Helen of Troy: Goddess, Princess, Whore*. New York: Knopf, 2005.
Maguire, Laurie. *Helen of Troy: From Homer to Hollywood*. Oxford: Wiley-Backwell, 2009.
Shay, Jonathan. *Achilles in Vietnam: Combat Trauma and the Undoing of Character*. New York: Simon & Schuster, 1995.

トロイア考古学

Blegen, Carl W. *Troy and the Trojans*. New York: Praeger, 1963.
Blegen, Carl W., John L. Caskey, and Marion Rawson. *Troy III: The Sixth Settlement*. Princeton, NJ: Princeton University Press, 1953.
Blegen, Carl W., Cedric G. Boulter, John L. Caskey, and Marion Rawson. *Troy IV: Settlements VIIa, VIIb and VIII*. Princeton, NJ: Princeton University Press, 1958.
Dörpfeld, Wilhelm. *Troja und Ilion: Ergebnisse der Ausgrabungen in den vorhistorischen und historischen Schichten von Ilion, 1870–1894*. Athens: Beck & Barth, 1902.
Jablonka, Peter. "Troy." In *The Oxford Handbook of the Bronze Age Aegean*, ed. Eric H. Cline, 849–61. New York: Oxford University Press, 2010.
Mountjoy, Penelope A. "The Destruction of Troia VIh." *Studia Troica* 9 (1999): 253–93.
Mountjoy, Penelope A. "Troia VII Reconsidered." *Studia Troica* 9 (1999): 295–346.
Schliemann, Heinrich. *Ilios: the City and Country of the Trojans*. New York: Benjamin Blom, Inc., 1881.
Schliemann, Heinrich. *Troy and Its Remains: A Narrative of Researches and Discoveries Made on the Site of Ilium, and in the Trojan Plain*. New York: Benjamin Blom, Inc., 1875.

ハインリヒ・シュリーマン

Allen, Susan Heuck. *Finding the Walls of Troy: Frank Calvert and Heinrich Schliemann at Hisarlik*. Berkeley: University of California Press, 1999.
Boedeker, Deborah, ed. *The World of Troy: Homer, Schliemann, and the Treasures of Priam*. Proceedings from a Seminar sponsored by the Society for the Preservation of the Greek Heritage and held at the Smithsonian Institution on February 21–22, 1997. Washington, DC: Society for the Preservation of the Greek Heritage, 1997.
Calder, William A. III, and David A. Traill. *Myth, Scandal and History: The Heinrich Schliemann Controversy and a First Edition of the Mycenaean Diary*. Detroit, MI: Wayne

State University Press, 1986.
Schuchhardt Carl. *Schliemann's Excavations: An Archaeological and Historical Study*. New York: Macmillan and Co., 1891.
Traill, David A. *Excavating Schliemann: Collected Papers on Schliemann*. Atlanta: Scholars Press, 1993.
Traill, David A. *Schliemann of Troy: Treasure and Deceit*. New York: St. Martin's Griffin, 1995.〔デイヴィッド・トレイル『シュリーマン――黄金と偽りのトロイ』周藤芳幸・澤田典子・北村陽子訳、青木書店、1999 年〕

ヒッタイト

Bryce, Trevor. *The Kingdom of the Hittites*. New ed. New York: Oxford University Press, 2005.
Bryce, Trevor. *Life and Society in the Hittite World*. Oxford: Oxford University Press, 2004.
Bryce, Trevor. *The Trojans and Their Neighbors*. London: Routledge, 2006.
Bryce, Trevor. *The World of the Neo-Hittite Kingdoms: A Political and Military History*. New York: Oxford University Press, 2012.
Collins, Billie Jean. *The Hittites and Their World*. Atlanta: Society of Biblical Literature, 2007.

ミュケナイ人

Castledon, Rodney. *The Mycenaeans*. London: Routledge, 2005.
Dickinson, Oliver T. P. K. *The Aegean Bronze Age*. Cambridge: Cambridge University Press, 1994.
Finley, Moses I. *The World of Odysseus*. New York: Penguin, 1956.〔M・I・フィンリー『オデュッセウスの世界』下田立行訳、岩波書店、1994 年〕
French, Elizabeth. *Mycenae: Agamemnon's Capital*. Oxford: Tempus, 2002.
Schofield, Louise. *The Mycenaeans*. Malibu, CA: J. Paul Getty Museum, 2007.

「海の民」

Cline, Eric H., and David O'Connor. "The Sea Peoples." In *Ramesses III: The Life and Times of Egypt's Last Hero*, ed. Eric H. Cline and David O'Connor, 180–208. Ann Arbor: University of Michigan Press, 2012.

Roberts, R. Gareth. *The Sea Peoples and Egypt*. PhD diss. Oxford: University of Oxford, 2008.

Sandars, Nancy. *The Sea Peoples: Warriors of the Ancient Mediterranean, 1250–1150 B.C.* 2nd ed. London: Thames and Hudson, 1985.

図版一覧

訳者略歴

京都大学文学部卒業、同大学院文学研究科博士課程修了（西洋古典文学専攻）。ロンドン大学ユニヴァーシティ・カレッジ古典学科客員研究員などを経て、和歌山県立医科大学名誉教授。おもな著訳書は『ギリシア神話――神々と英雄に出会う』（中公新書）、『エレゲイア詩集』（京都大学学術出版会）、『ホメロス『オデュッセイア』――〈戦争〉を後にした英雄の歌』（岩波書店）、グラツィオージ『オリュンポスの神々の歴史』（監訳、白水社）ほか。

トロイア戦争
歴史・文学・考古学

二〇二一年二月一五日 印刷
二〇二一年三月 五 日 発行

著　者　エリック・H・クライン
訳　者 © 西村賀子（にしむらよしこ）
装丁者　柳川貴代
発行者　及川直志
印刷所　株式会社理想社
発行所　株式会社白水社

東京都千代田区神田小川町三の二四
電話　営業部〇三（三二九一）七八一一
　　　編集部〇三（三二九一）七八二一
振替　〇〇一九〇-五-三三二二八
郵便番号　一〇一-〇〇五二
www.hakusuisha.co.jp

乱丁・落丁本は、送料小社負担にてお取り替えいたします。

株式会社松岳社

ISBN978-4-560-09825-7
Printed in Japan